DESONRA

J.M. COETZEE

Desonra

Tradução
José Rubens Siqueira

4ª edição
15ª reimpressão

PRÊMIO NOBEL
COMPANHIA DAS LETRAS

Copyright © 1999 by J.M. Coetzee

Publicado mediante acordo com Peter Lampack Agency, Inc. 551 Fifth Avenue, Suite 1613. Nova York, NY 10176-10187, Estados Unidos.

Grafia atualizada segundo o Acordo Ortográfico da Língua Portuguesa de 1990, que entrou em vigor no Brasil em 2009.

Título original
Disgrace

Capa
Kiko Farkas/ Máquina Estúdio
Thiago Lacaz/ Máquina Estúdio

Revisão
Ana Maria Alvares
Ana Maria Barbosa

Atualização ortográfica
Verba Editorial

Os personagens e situações desta obra são reais apenas no universo da ficção; não se referem a pessoas e fatos concretos, e sobre eles não emitem opinião.

Dados Internacionais de Catalogação na Publicação (CIP)
Câmara Brasileira do Livro, SP, Brasil

Coetzee, J.M., 1940-
Desonra / J.M. Coetzee ; tradução José Rubens Siqueira. — São Paulo : Companhia das Letras, 2000.

Título original: Disgrace.
ISBN 978-85-359-0080-4

1. Romance inglês – Escritores sul-africanos I. Título.

00-4693 CDD-823

Índice para catálogo sistemático:
1. Romances : Literatura sul-africana em inglês 823

Todos os direitos desta edição reservados à
EDITORA SCHWARCZ S.A.
Rua Bandeira Paulista, 702, cj. 32
04532-002 — São Paulo — SP
Telefone: (11) 3707-3500
www.companhiadasletras.com.br
www.blogdacompanhia.com.br
facebook.com/companhiadasletras
instagram.com/companhiadasletras
twitter.com/cialetras

DESONRA

1.

Para um homem de sua idade, cinquenta e dois, divorciado, ele tinha, em sua opinião, resolvido muito bem o problema de sexo. Nas tardes de quinta-feira, vai de carro até Green Point. Pontualmente às duas da tarde, toca a campainha da portaria do edifício Windsor Mansions, diz seu nome e entra. Soraya está esperando na porta do 113. Ele vai direto até o quarto, que cheira bem e tem luz suave, e tira a roupa. Soraya surge do banheiro, despe o roupão, escorrega para a cama ao lado dele. "Sentiu saudade de mim?", ela pergunta. "Sinto saudade o tempo todo", ele responde. Acaricia seu corpo marrom cor de mel, sem marcas de sol, deita-a, beija-lhe os seios, fazem amor.

Soraya é alta e magra, de cabelo preto comprido e olhos escuros, brilhantes. Tecnicamente, ele tem idade para ser seu pai; só que, tecnicamente, dá para ser pai aos doze. Ele está na agenda dela faz mais de um ano; ele acha que ela é perfeitamente satisfatória. No deserto da semana, a quinta-feira passou a ser um oásis de *luxe et volupté*.

Na cama, Soraya não é efusiva. Seu temperamento, na verdade, é bastante sossegado, sossegado e dócil. Suas opiniões são surpreendentemente moralistas. Fica ofendida com as turistas que despem os seios ("tetas", ela diz) nas praias públicas; acha que os vagabundos deviam ser recolhidos e postos para trabalhar, varrendo as ruas. Ele não pergunta como ela consegue coadunar essas opiniões com o tipo de trabalho que faz.

Como tem prazer com ela, um prazer invariável, começa a nascer nele uma afeição por ela. Até certo ponto, ele acredita, essa afeição é correspondida. Afeição pode não ser amor, mas é ao menos prima-irmã do amor. Diante do começo pouco promissor que tiveram, até que têm sorte, os dois: ele porque a encontrou, ela porque o encontrou.

Ele tem consciência de que seus sentimentos são complacentes, até matrimoniais. Mesmo assim não renuncia a eles.

Por uma sessão de uma hora e meia paga-lhe quatrocentos rands, dos quais metade vai para a Discreet Escorts. É uma pena a Discreet Escorts cobrar tanto. Mas são donos do 113 e de outros apartamentos no Windsor Mansions; de certa forma são donos de Soraya também, dessa parte dela, dessa função.

Ele anda brincando com a ideia que pedissem para se encontrar no tempo livre dela. Gostaria que passassem uma noite juntos, talvez até a noite toda. Mas não a manhã seguinte. Ele se conhece bem demais para sujeitá-la à manhã seguinte, quando estará frio, ranzinza, impaciente para ficar sozinho.

É assim seu temperamento. Seu temperamento não vai mudar, está velho demais para isso. Está fixo, estabelecido. O crânio, depois o temperamento: as duas partes mais duras do corpo.

Obedeça seu temperamento. Não é uma filosofia, ele não atribuiria tal dignidade a esse sentimento. É uma regra, como a regra de são Benedito.

Ele está com boa saúde, com a cabeça clara. Por profissão ele é, ou foi, um acadêmico, e a vida acadêmica ainda ocupa, intermitentemente, o seu íntimo. Gosta de viver dentro de seus rendimentos, dentro de seu temperamento, dentro de seus meios emocionais. É feliz? Em termos gerais, é, acha que sim. Porém, não se esquece da última fala do coro de *Édipo*: Nenhum homem é feliz até morrer.

No campo do sexo, seu temperamento, embora intenso, nunca foi passional. Se tivesse de escolher um animal totem, seria a cobra. A relação sexual entre Soraya e ele deve ser, imagina, como uma cópula de cobras: prolongada, absorvente, mas um tanto abstrata, seca, mesmo no ponto mais quente.

O totem de Soraya seria a cobra também? Com outros homens, sem dúvida, ela é outra mulher: *la donna è mobile*. Porém, em termos de temperamento, sua afinidade com ele não pode de jeito nenhum ser fingida.

Embora seja uma libertina por profissão, ele confia nela, dentro de certos limites. Durante as sessões, ele fala com certa liberdade, às vezes até desabafa. Ela conhece os fatos da vida dele. Ouviu a história de seus dois casamentos, sabe de sua filha e dos altos e baixos da vida dela. Conhece muitas de suas opiniões.

Soraya nada revela de sua vida fora de Windsor Mansions. Soraya não é seu nome verdadeiro, com toda a certeza. Há indícios que deu à luz um filho, ou filhos. Pode até ser que ela não seja profissional coisa nenhuma. Talvez trabalhe para a agência só uma ou duas tardes por semana, e no resto do tempo viva uma vida respeitável nos subúrbios, em Rylands ou Athlone. Seria um pouco estranho para uma muçulmana, mas hoje em dia tudo é possível.

Sobre o próprio trabalho ele fala pouco, não quer aborrecê-la. Ganha a vida na Universidade Técnica do Cabo, antiga

Faculdade da Universidade da Cidade do Cabo. Outrora professor de línguas modernas, ele passou a professor-adjunto de comunicações quando o Departamento de Línguas Clássicas e Modernas foi fechado como parte da grande reengenharia. Como todos os professores afetados pela racionalização, ele pode propor um curso especial por ano, independente do currículo, porque isso faz bem para o ânimo. Este ano, ele montou um curso sobre os poetas românticos. No mais, dá aulas em Comunicações 101, "Capacitação em Comunicações", e Comunicações 201, "Capacitação em Comunicações — Avançado".

Embora dedique diariamente horas e horas à nova disciplina, acha ridícula a primeira premissa constante da ementa de Comunicações 101: "A sociedade humana criou a linguagem para podermos comunicar nossos pensamentos, sentimentos e intenções". Sua opinião, que ele não ventila, é que a origem da fala está no canto, e as origens do canto na necessidade de preencher com som o vazio grande demais da alma humana.

Ao longo de uma carreira de um quarto de século, ele publicou três livros, nenhum dos quais provocou qualquer comoção, nem mesmo um abalo: o primeiro sobre ópera (*Boito e a lenda do Fausto*: A gênese de Mefistófeles), o segundo sobre a visão enquanto eros (A *visão de Ricardo de São Vítor*), o terceiro sobre Wordsworth e a história (*Wordsworth e o peso do passado*).

Nos últimos anos, tem brincado com a ideia de um trabalho sobre Byron. De início, pensou que seria um novo livro, outra obra crítica. Mas todas as tentativas de escrever atolaram no tédio. A verdade é que está cansado da crítica, cansado do discurso medido a metro. O que quer escrever é música: *Byron na Itália*, uma meditação sobre o amor entre os sexos na forma de uma ópera de câmara.

Enquanto enfrenta as aulas de comunicações, frases, melodias, fragmentos de canções da obra ainda não escrita flutuam por sua cabeça. Nunca foi um grande professor; nessa instituição de ensino transformada e, em sua opinião, emasculada, ele está mais deslocado do que nunca. Mas seus colegas de antigamente também estão na mesma, curvados pela formação inadequada para as tarefas que se meteram a cumprir; sacerdotes em uma era pós-religiosa.

Como não tem respeito pela matéria que ensina, não causa nenhuma impressão nos alunos. Não o olham quando ele fala, esquecem seu nome. Essa indiferença lhe dói mais do que admite. Mas cumpre ao pé da letra as obrigações com os alunos, com os pais deles, com o Estado. Mês após mês ele passa, recolhe, lê e anota seus trabalhos, corrigindo lapsos de pontuação, ortografia e concordância, questionando argumentações fracas, anexando a cada trabalho uma crítica breve e ponderada.

Ele continua ensinando porque é assim que ganha a vida; e também porque aprende a ser humilde, faz com que perceba o seu papel no mundo. A ironia não lhe escapa: aquele que vai ensinar acaba aprendendo a melhor lição, enquanto os que vão aprender não aprendem nada. É um aspecto de sua profissão que não comenta com Soraya. Ele duvida que exista uma ironia semelhante na vida dela.

Na cozinha do apartamento em Green Point há uma chaleira, xícaras de plástico, um bule de café instantâneo, uma tigelinha com sachês de açúcar. A geladeira tem um suprimento de garrafas de água. No banheiro, há sabonete e uma pilha de toalhas; no armário, lençóis limpos. Soraya guarda a maquiagem em uma bolsinha de viagem. Um local de encontros, nada mais; funcional, limpo, bem organizado.

A primeira vez que Soraya o recebeu, estava com batom vermelho e muita sombra nos olhos. Como não gostava de maquiagem pegajosa, pediu que tirasse tudo. Ela obedeceu, e nunca mais usou. Uma aluna rápida, amável, maleável.

Ele gosta de lhe dar presentes. No ano-novo deu-lhe uma pulseira esmaltada, na data muçulmana do Eid, uma cegonha de malaquita que lhe chamou a atenção em um bazar. Gosta de vê-la contente, no que é bastante sincero.

Surpreende-lhe que noventa minutos por semana em companhia de uma mulher sejam suficientes para fazê-lo feliz, ele que achava que precisava de uma esposa, de um lar, de um casamento. Suas necessidades acabaram se revelando bem leves, afinal, leves e fugazes, como as de uma borboleta. Sem emoção, ou apenas quem sabe com algo mais profundo, mais inesperado: um surdo contentamento básico, como o murmúrio do tráfego que embala o sono do morador da cidade, ou o silêncio da noite para os camponeses.

Ele pensa em Emma Bovary, voltando para casa saciada, de olhos vidrados, depois de uma tarde fodendo sem parar. *Então isto é a plenitude!*, Emma diz, deslumbrada consigo mesma no espelho. *Então esta é a plenitude de que falam os poetas!* Bem, se a pobre e fantasmagórica Emma aparecesse algum dia na Cidade do Cabo, ele a levaria consigo uma quinta-feira de tarde para lhe mostrar como a plenitude pode ser: uma plenitude moderada, uma plenitude moderada.

Então, em um domingo de manhã, tudo muda. Ele está na cidade, a negócios; andando por St. George's Street, seus olhos pousam numa figura esguia à sua frente na multidão. É Soraya, inconfundível, com uma criança de cada lado, dois meninos. Estão carregando pacotes; foram às compras.

Ele hesita, depois a segue à distância. Os três desaparecem na Captain Dorego's Fish Inn. Os meninos têm o mesmo cabelo lustroso de Soraya e seus olhos escuros. Só podem ser seus filhos.

Ele segue em frente, volta, passa diante da Captain Dorego's uma segunda vez. Os três ocupam uma mesa perto da janela. Por um instante, através do vidro, os olhos de Soraya encontram os dele.

Ele sempre foi um homem da cidade, à vontade no meio de um fluxo de corpos em que eros espreita e olhares voam como flechas. Mas imediatamente ele lamenta o olhar trocado com Soraya.

No encontro da quinta-feira seguinte, nenhum dos dois menciona o incidente. Mesmo assim, a lembrança paira sobre eles, incômoda. Ele não quer perturbar aquilo que para Soraya deve ser uma precária vida dupla. Ele é plenamente a favor de vidas duplas, vidas triplas, vidas vividas em compartimentos. Na verdade, se algo mudou, é a ternura maior que sente por ela. *Seu segredo está seguro comigo*, gostaria de lhe dizer.

Mas nem ele nem ela conseguem pôr de lado o que aconteceu. Os dois meninos estão entre eles, brincando tranquilos num canto da sala enquanto a mãe e o estranho se acasalam. Nos braços de Soraya, ele se transforma, momentaneamente, no pai deles: pai adotivo, padrasto, pai-sombra. Ao deixar a cama dela depois, sente os olhos deles a examiná-lo disfarçadamente, curiosos.

Seus pensamentos estão, à sua revelia, no outro pai, no de verdade. Será que ele tem alguma ideia das atividades da mulher, ou escolheu a conformidade da ignorância?

Ele não tem filhos homens. Passou a infância em uma família de mulheres. À medida que mãe, tias, irmãs se foram, ele as foi substituindo por amantes, esposas, uma filha. A companhia de mulheres fez dele um apreciador de mulheres e, até certo ponto, um mulherengo. Sua altura, o corpo bom, a pele cor de oliva, o cabelo esvoaçante sempre garantiam-lhe certo grau de magnetismo. Se olhava para uma mulher de um certo jeito, com certa intenção, ela retribuía o olhar, disso tinha certeza. Era assim que vivia; durante anos, décadas, essa foi a base de sua vida.

Um belo dia, tudo isso acabou. Sem aviso prévio, ele perdeu os poderes. Olhares que um dia correspondiam ao seu deslizavam como se passassem através dele. Da noite para o dia, virou um fantasma. Se queria uma mulher, tinha de aprender a conquistá-la; muitas vezes, de uma forma ou outra, tinha de comprá-la.

Ele existia numa promiscuidade ansiosa e agitada. Tinha casos com as esposas de colegas; pegava turistas nos bares da praia ou no Club Italia; dormia com putas.

Foi apresentado a Soraya numa saleta escura ao lado do escritório da Discreet Escorts, com venezianas nas janelas, vasos de plantas nos cantos, ranço de fumaça no ar. No catálogo, ela estava na seção "Exóticas". A fotografia mostrava uma flor de maracujá vermelha nos cabelos e um traço fino no canto dos olhos. A legenda dizia "Só à tarde". Foi isso que o atraiu: a promessa de janelas fechadas, lençóis frescos, horas roubadas.

Desde o começo foi satisfatório, exatamente o que queria. Um tiro na mosca. Em um ano inteiro, não precisou voltar à agência.

Então o incidente em St. George's Street e o estranhamento que se seguiu. Embora Soraya mantenha os compromissos, ele sente uma crescente frieza à medida que ela se transforma em só mais uma mulher e ele em só mais um cliente.

Ele tem uma boa ideia de como as prostitutas conversam entre si sobre os homens que as frequentam, principalmente os mais velhos. Contam histórias, riem, mas se arrepiam também, como alguém se arrepia com uma barata dentro da pia no meio da noite. Logo, elegantemente, maliciosamente, ele será alvo desses arrepios. É um destino a que não pode escapar.

Quatro quintas-feiras depois do incidente, quando ele está saindo do apartamento, Soraya faz o comunicado que ele vem tentando ignorar. "Minha mãe está doente. Vou tirar uma folga para cuidar dela. Não vou estar aqui a semana que vem."

"Vamos nos ver na outra semana?"

"Não tenho certeza. Depende dela melhorar. Melhor você telefonar primeiro."

"Não tenho o número."

"Ligue para a agência. Eles vão saber."

Ele espera uns dias, e telefona para a agência. Soraya? Soraya não trabalha mais conosco. Não, não podemos colocar o senhor em contato com ela, é contra as nossas regras. Gostaria de ser apresentado a outra de nossas contratadas? Temos muitas exóticas a escolher — malaias, tailandesas, chinesas, o que quiser.

Ele passa a noite com outra Soraya — parece que Soraya passou a ser um *nom de commerce* muito popular — em um quarto de hotel na Long Street. Essa não tem mais de dezoito anos, sem prática, e, na sua opinião, rústica. "E aí? O que você faz?", ela pergunta, tirando a roupa. "Exportação-importação", ele responde. "Não diga", ela diz.

Há uma secretária nova em seu departamento. Ele a leva para almoçar em um restaurante situado a uma distância discreta do campus e a escuta enquanto, comendo salada de camarão, ela reclama da escola dos filhos. Tem traficantes de drogas nos parquinhos, ela diz, e a polícia não faz nada. Nos últimos três anos, ela e o marido deixaram os nomes em uma lista do consulado da Nova Zelândia, para emigrar. "Para vocês era mais fácil. Quer dizer, apesar dos prós e contras da situação vocês pelo menos sabiam onde estavam pisando."

"Vocês?", ele pergunta. "Vocês quem?"

"A sua geração. Agora as pessoas simplesmente escolhem as leis que querem obedecer. Virou anarquia. Como dá para criar filhos com anarquia por todos os lados?"

Seu nome é Dawn. A segunda vez que sai com ela, param na casa dele e transam. É um erro. Ela se retorce, dá-lhe unhadas e borbulha de excitação, mas no fim simplesmente o repele. Ele lhe empresta um pente, leva-a de volta para o campus.

Depois disso passa a evitá-la, cuidando de contornar o escritório onde trabalha. Em troca, ela lança olhares magoados, depois o esnoba.

Ele devia desistir, sair de cena. Com que idade, imagina, Origen se castrou? Solução nada graciosa, mas envelhecer não é mesmo uma coisa das mais graciosas. Uma limpeza geral para poder ao menos pôr-se a pensar no que um velho tem de pensar mesmo: preparar-se para a morte.

É possível procurar um médico e pedir isso? Intervenção simples, sem dúvida: fazem com animais todo dia, e os animais sobrevivem bem, se não se levar em conta uma certa tristeza que fica. Cortar fora, amarrar: com anestesia local, mão firme e um mínimo de fleuma talvez desse até para fazer sozinho, seguindo algum livro. Um homem numa cadeira cortando o próprio: uma imagem feia, mas não mais feia, sob certo ponto de vista, que o mesmo homem resfolegando em cima do corpo de uma mulher.

E ainda há Soraya. Ele devia encerrar esse capítulo. Em vez disso, contrata uma agência de detetives para localizá-la. Dias depois, sabe o nome verdadeiro dela, o endereço, o número de telefone. Liga às nove da manhã, quando o marido e as crianças devem estar fora. "Soraya?", diz ele. "Aqui é o David. Como vai? Quando vamos nos ver outra vez?"

Um longo silêncio antes de ela responder. "Não sei quem

é você", ela diz. "Você está me assediando na minha própria casa. Por favor, nunca mais me telefone aqui, nunca."

Ela *pede*. Ela quer é *exigir*. A irritação dela o surpreende: nunca houve nenhum sinal disso antes. Porém o que pode esperar o predador quando se mete na toca da raposa, na toca onde ela guarda os filhotes?

Ele desliga o telefone. Sente passar uma sombra de inveja do marido que nunca viu.

2.

Sem os interlúdios das quintas-feiras, a semana fica tão sem forma quanto um deserto. Há dias em que ele não sabe o que fazer consigo mesmo.

Passa mais tempo na biblioteca da universidade, lendo tudo que encontra sobre o grupo de Byron, tomando notas que já preenchem duas gordas pastas. Gosta da calma do fim de tarde na sala de leitura, gosta de ir a pé para casa depois: o ar fresco do inverno, as ruas úmidas rebrilhando.

Está voltando para casa uma sexta-feira de noitinha, pelo caminho mais longo que atravessa os jardins da faculdade, quando nota uma de suas alunas no caminho à sua frente. O nome dela é Melanie Isaacs, do curso de românticos. Não a melhor aluna, mas não a pior também: inteligente até, mas não empenhada.

Ela está andando devagar; ele logo a alcança. "Olá", diz.

Ela sorri de volta, inclina a cabeça, o sorriso mais malicioso que receoso. É pequena e magra, de cabelo preto, curto, maçãs do rosto largas, quase chinesas, olhos grandes, escuros.

Sua roupa é sempre espalhafatosa. Hoje está vestindo uma minissaia marrom com um suéter cor de mostarda e meias pretas; os penduricalhos dourados do cinto combinam com as bolas douradas dos brincos.

Ele fica um pouco tocado por ela. Não é novidade: não há semestre em que não se apaixone por uma ou outra de suas crias. Cidade do Cabo: uma cidade pródiga de beleza, de beldades.

Ela sabe que ele está de olho nela? Provavelmente. As mulheres sentem essas coisas, o peso de um olhar de desejo.

Choveu; das sarjetas vem o marulhar suave da enxurrada.

"Minha estação favorita, minha hora favorita do dia", ele diz. "Você mora por aqui?"

"Do outro lado da linha. Divido um apartamento."

"É da Cidade do Cabo mesmo?"

"Não, cresci em George."

"Eu moro aqui perto. Quer tomar alguma coisa?"

Uma pausa, cautelosa. "Ok. Mas tenho de estar em casa às sete e meia."

Dos jardins, passam para um bolsão residencial onde ele já mora há doze anos, primeiro com Rosalind, e, depois do divórcio, sozinho.

Ele destranca o portão de segurança, depois a porta, convida a menina a entrar. Acende a luz, pega a bolsa dela. Ela tem gotas de chuva no cabelo. Ele fica olhando, francamente deslumbrado. Ela baixa os olhos, dando o mesmo sorrisinho evasivo, e talvez coquete, que já deu antes.

Na cozinha, ele abre uma garrafa de Meerlust e serve bolachas e queijo. Quando volta, ela está olhando as estantes de livros, a cabeça de lado, lendo os títulos. Ele põe música: o quinteto de clarineta de Mozart.

Vinho, música: um ritual que homens e mulheres celebram uns com os outros. Nada de errado com os rituais, eles foram inventados para facilitar certas passagens difíceis. Mas a menina que trouxe para casa não é só trinta anos mais nova que ele: é aluna, sua aluna, está sob sua tutela. Aconteça o que acontecer entre eles agora, vão se encontrar de novo como professor e aluna. Ele estará preparado para aquilo?

"Está gostando do curso?", pergunta.

"Gosto de Blake. Gostei daquela história de Wonderhorn."

"Wunderhorn."

"Não gosto tanto de Wordsworth."

"Não devia dizer uma coisa dessas para mim. Wordsworth é um dos meus mestres."

É verdade. Desde que se conhece por gente, as harmonias do *Prelúdio* ressoam dentro dele.

"Quem sabe no fim do curso esteja gostando mais dele. Quem sabe ainda vai crescer no meu conceito."

"Quem sabe. Mas na minha experiência a poesia nos fala à primeira vista, ou não fala nunca. Um estalo de revelação, um estalo de reação. Como um relâmpago. Como se apaixonar."

Como se apaixonar. Os jovens ainda se apaixonam ou esse mecanismo agora ficou obsoleto, desnecessário, esquisito, como uma locomotiva a vapor? Ele está por fora, antiquado. Apaixonar-se pode ter saído e voltado à moda meia dúzia de vezes, e ele nem sabe.

"Você escreve poesia?", ele pergunta.

"Escrevi quando estava na escola. Não era nada muito bom. Agora não tenho mais tempo."

"E as paixões? Quais são suas paixões literárias?"

Ela franze a testa diante da palavra estranha. "Estudei Adrienne Rich e Toni Morrison no segundo ano. E Alice Walker. Me envolvi bastante. Mas não chamaria exatamente de paixão."

Portanto, uma criatura que não é dada a paixões. Será que, da maneira mais indireta do mundo, ela está mantendo distância?

"Vou fazer o jantar", ele diz. "Quer comer comigo? Coisa simples."

Ela parece em dúvida.

"Vamos lá!", ele diz. "Diga sim!"

"Ok. Mas antes tenho de telefonar."

O telefonema demora mais do que ele esperava. Da cozinha, escuta murmúrios, silêncios.

"Que carreira você pretende seguir?", ele pergunta, depois.

"Direção e cenografia. Faço teatro."

"E por que resolveu fazer um curso de poesia romântica?"

Ela pensa um pouco, franze o nariz. "Escolhi por causa da atmosfera", diz. "Não queria fazer Shakespeare de novo. Fiz Shakespeare o ano passado."

O jantar que ele prepara é mesmo simples: anchovas e tagliatelle com molho de cogumelos. Pede a ela para cortar os cogumelos. Comem na sala, abrindo uma segunda garrafa de vinho. Ela come sem inibição. Um apetite saudável para alguém tão magro.

"Você sempre cozinha?", ela pergunta.

"Moro sozinho. Se não cozinhar ninguém cozinha."

"Detesto cozinhar. Acho que devia aprender."

"Por quê? Se não gosta mesmo, case com um homem que saiba cozinhar."

Juntos, compõem o quadro: a jovem esposa de roupas ousadas e bijuterias espalhafatosas entrando pela porta da rua, sentindo o cheiro no ar; o marido, o certinho apagado, de avental, mexendo uma panela na cozinha cheia de fumaça. Inversões: matéria-prima da comédia burguesa.

"Acabou", diz ele quando a tigela fica vazia. "Sem sobremesa, a não ser que você queira uma maçã ou um iogurte. Desculpe, não sabia que ia ter convidados."

"Estava bom", diz ela, esvaziando o copo, pondo-se de pé. "Obrigada."

"Não vá embora ainda." Ele a pega pela mão e leva para o sofá. "Quero mostrar uma coisa. Gosta de dança? Não de dançar: de dança." Ele coloca um vídeo. "É um filme de um cara chamado Norman McLaren. Bem antigo. Achei na biblioteca. Veja o que acha."

Sentados lado a lado, assistem. Dois bailarinos fazem seus passos num palco sem cenário. Filmadas com uma câmera estroboscópica, suas imagens, fantasmas de seus movimentos, se abrem em leque atrás deles como asas batendo. Ele viu o filme pela primeira vez faz um quarto de século, mas ainda o cativa: o instante do presente e o passado desse instante, evanescente, capturados no mesmo espaço.

Ele quer que a menina fique cativada também. Mas sente que não fica.

Quando o filme termina, ela se levanta e anda pela sala. Levanta a tampa do piano, toca um dó médio. "Você toca?", ela pergunta.

"Um pouquinho."

"Clássico ou jazz?"

"Nada de jazz, não."

"Toca alguma coisa para mim?"

"Agora não. Estou sem prática. Outro dia, quando nos conhecermos melhor."

Ela dá uma olhada no escritório. "Posso entrar?"

"Acenda a luz."

Ele põe mais música: as sonatas de Scarlatti, *cat-music*.

"Você tem um monte de livros de Byron", ela diz ao sair. "É o seu poeta favorito?"

"Estou fazendo um trabalho sobre Byron. Sobre o tempo que passou na Itália."

"Ele não morreu jovem?"

"Trinta e seis. Todos morrem cedo. Ou secam. Ou ficam loucos e são trancafiados. Mas Byron não morreu na Itália. Morreu na Grécia. Foi para a Itália fugindo de um escândalo, e ficou lá. Morando. Teve o último grande amor da sua vida. Os ingleses iam muito para a Itália naquela época. Achavam que os italianos ainda estavam em contato com sua própria natureza. Menos amarrados pelas convenções, mais apaixonados."

Ela deu outra volta na sala. "Essa é sua mulher?", pergunta, diante de uma foto emoldurada na mesinha lateral.

"Minha mãe. Quando ela era moça."

"Você é casado?"

"Fui. Duas vezes. Mas não sou mais." Ele não diz: agora eu me viro com o que aparece na minha frente. Ele não diz: agora eu transo com putas. "Quer tomar um licor?"

Ela não quer licor, mas aceita um pingo de uísque no café. Enquanto ela bebe, ele se inclina e toca-lhe o rosto. "Você é muito bonita", diz. "Vou te convidar para fazer uma coisa maluca." Toca de novo o rosto dela. "Fique aqui. Passe a noite comigo."

Por cima da xícara ela olha firme para ele. "Por quê?"

"Porque você deve."

"Por que eu devo?"

"Por quê? Porque a beleza de uma mulher não é só dela. É parte do dote que ela traz ao mundo. Ela tem o dever de repartir com os outros."

Ainda está com a mão no rosto dela. Ela não se esquiva, mas também não cede.

"E se eu já estiver repartindo?" Há um traço de sufocação na voz dela. Sempre excitante ser cortejada: excitante, gostoso.

"Então tem de repartir mais."

Palavras macias, mais velhas que a própria sedução. Mas nesse momento, ele acredita nelas. Ela não é dona de si mesma. A beleza não é dona de si mesma.

"Das belas criaturas queremos sempre mais", ele diz, "para que a rosa da beleza não morra jamais."

Jogada errada. O sorriso dela perde aquele ar brincalhão e instável. O verso, cuja cadência tão bem serviu para escorregar as palavras da serpente, agora apenas afasta. Ele volta a ser o professor, o homem dos livros, o guardião da cultura. Ela pousa a xícara. "Tenho de ir embora, estão me esperando."

As nuvens se abriram, as estrelas estão brilhando. "Linda noite", ele diz, destrancando o portão do jardim. Ela não olha para cima. "Quer que acompanhe você até em casa?"

"Não."

"Tudo bem. Boa noite." Ele estende os braços, abraça-a. Por um momento, sente seus seios contra o peito. Então, ela escapa do abraço e vai embora.

3.

Ele devia parar por aí. Mas não para. No domingo de manhã vai dirigindo até o campus vazio e entra no escritório do departamento. Do armário de arquivos tira a ficha de Melanie Isaacs e copia seus dados pessoais: endereço da família, endereço na Cidade do Cabo, número de telefone.

Disca o número. Uma voz de mulher atende.

"Melanie?"

"Vou chamar. Quem está falando?"

"Diga que é David Lurie."

Melanie — *melody*: uma sonoridade banal. Não é um bom nome para ela. Mudando a tônica. Meláni: a escura.

"Alô?"

Naquela única palavra ele ouve toda a incerteza dela. Jovem demais. Não vai saber lidar com ele; devia esquecer ela. Mas está nas garras de alguma coisa. A rosa da beleza: o poema atinge o alvo reto como uma flecha. Ela não é dona de si mesma; talvez ele não seja dono de si mesmo também.

"Pensei que você podia gostar de almoçar comigo", ele diz. "Passo aí, digamos, ao meio-dia."

Ela ainda tem tempo de inventar uma mentira, de escapar. Mas fica confusa demais, e o momento passa.

Ao chegar, ela está esperando na calçada do seu prédio. Vestindo meias pretas e um suéter preto. Os quadris estreitos como se tivesse doze anos.

Ele a leva à baía Hout, junto ao porto. No caminho, tenta deixá-la à vontade. Pergunta sobre os outros cursos que faz. Ela conta que está trabalhando numa peça. É uma das exigências do curso. Os ensaios tomam muito o seu tempo.

No restaurante, ela está sem apetite, e fica olhando o mar, tristonha.

"Algum problema? Não quer me contar?"

Ela sacode a cabeça.

"Está preocupada conosco?"

"Talvez", ela diz.

"Não precisa. Eu cuido de tudo. Não vou deixar ir longe demais."

Longe demais. O que é longe, o que é longe demais, num assunto assim? O longe demais dela será igual ao longe demais dele?

Começou a chover: cortinas de água ondulam pela baía vazia. "Vamos embora?", ele pergunta.

Ele a leva de volta para casa. No chão da sala, ao som da chuva tamborilando nas janelas, faz amor com ela. Seu corpo é claro, simples, perfeito à sua maneira; embora fique passiva do começo ao fim, ele acha o ato agradável, tão agradável que do clímax cai direto para o abandono total.

Quando volta a si a chuva parou. A menina está deitada embaixo dele, olhos fechados, as mãos caídas acima da cabeça, uma ligeira ruga na testa. As mãos dele estão debaixo do suéter de lã áspera, nos seios dela. As meias e a calcinha dela enroladas no chão; as calças dele nos tornozelos. *Depois da tempestade*, ele pensa: direto das páginas de George Grosz.

Ela vira o rosto, liberta-se, recolhe suas coisas, sai da sala. Minutos depois, volta, vestida. "Tenho de ir embora", sussurra. Ele não faz esforço para detê-la.

Na manhã seguinte, acorda com uma profunda sensação de bem-estar que não vai desaparecer. Melanie não foi à aula. De seu escritório, ele telefona para a floricultura. Rosas? Talvez rosas não. Encomenda cravos. "Vermelhos ou brancos?", a mulher pergunta. Vermelhos? Brancos? "Mande uma dúzia cor-de-rosa", ele diz. "Não tenho doze cor-de-rosa. Pode ser sortido?" "Mande sortido", ele diz.

Chove a terça-feira inteira, são nuvens pesadas sopradas do oeste sobre a cidade. Ao atravessar o saguão do Prédio de Comunicações no fim do dia, ele a vê na porta, no meio de um bando de alunos esperando passar a pancada. Chega atrás dela, coloca a mão em seu ombro. "Me espere aqui", diz. "Deixo você em casa."

Volta com o guarda-chuva. Ao atravessar a praça na direção do estacionamento, puxa-a para mais perto para protegê-la. Um súbito pé de vento vira do avesso o guarda-chuva; os dois correm juntos, desajeitados, até o carro.

Ela está usando uma capa de chuva amarelo-brilhante; dentro do carro, baixa o capuz. Tem o rosto afogueado; ele vê seu peito subindo e descendo. Ela lambe uma gota de chuva do lábio superior. *Uma criança!*, ele pensa: *Não passa de uma criança! O que é que eu estou fazendo?* Mesmo assim seu coração dispara de desejo.

Os dois seguem pelo trânsito pesado do fim da tarde. "Senti sua falta ontem", ele diz. "Tudo bem com você?"

Ela não responde, fica olhando o limpador de para-brisa.

No farol vermelho, ele pega sua mão fria. "Melanie!", diz, tentando manter o tom leve. Mas esqueceu como se namora. A voz que ouve é de pai carinhoso, não de amante.

Estaciona na frente do prédio dela. "Obrigada", ela diz, abrindo a porta do carro.

"Não vai me convidar para entrar?"

"Acho que minha colega está em casa."

"E hoje à noite?"

"Tenho ensaio à noite."

"Então quando vamos nos ver outra vez?"

Ela não responde. "Obrigada", repete, e desliza para fora.

Na quarta-feira, ela está na aula, na carteira de sempre. Eles estão ainda no Wordsworth, Livro 6 do *Prelúdio*, o poeta nos Alpes.

"De um nu despenhadeiro", ele lê em voz alta,

> descortinamos então
> desanuviado o pico do Mont Blanc, e lamentamos
> ter os olhos tomados por uma imagem sem alma
> que usurpava o lugar de uma ideia viva
> que nunca mais existiria.

"Bem. A majestosa montanha branca, o Mont Blanc, acaba sendo uma decepção. Por quê? Vamos começar com esse verbo estranho para esse verso, *usurpar*. Alguém procurou no dicionário?"

Silêncio.

"Se tivessem procurado, teriam descoberto que *usurpar* quer dizer tomar à força, obter sem direito. Mas *usurpar* quer dizer também assumir o lugar de alguma coisa por meio do artifício ou da fraude.

"As nuvens se abriram, diz Wordsworth, o pico está desanuviado, e lamentamos que esteja visível. Uma reação estranha para alguém que está viajando pelos Alpes. Lamentar por quê? Porque, diz ele, uma imagem sem alma, uma mera imagem na retina, invadiu aquilo que até então era uma ideia viva. Que ideia viva era essa?"

Silêncio de novo. O próprio ar para o qual ele fala permanece liso como um lençol estendido. Um homem olhando uma montanha: por que tem de ser tão complicado, é isso que eles querem dizer? Que resposta pode lhes dar? O que disse a Melanie na primeira noite? Que sem um estalo de revelação não acontece nada. Onde está o estalo naquela sala?

Ele dá uma olhada para ela. Está de cabeça baixa, absorta no texto, ou parece estar.

"A mesma palavra *usurpar* aparece de novo alguns versos abaixo. A usurpação é um dos temas mais profundos da sequência dos Alpes. Os grandes arquétipos da mente, as ideias puras, veem-se usurpados pelas meras imagens dos sentidos.

"E, no entanto, não podemos viver nossas vidas cotidianas no reino das ideias puras, isolados da experiência sensorial. A questão não é: como posso manter a imaginação pura, protegida dos ataques da realidade? A questão tem de ser: é possível encontrar um jeito de fazer as duas coexistirem?

"Vejam o verso 599. Wordsworth está escrevendo aí sobre os limites da percepção sensorial. É um tema que já vimos antes. Quando os órgãos dos sentidos chegam ao limite de suas forças, sua luz começa a se apagar. Mas no momento que vai expirar, essa luz se ergue em uma última labareda, como uma vela acesa, dando-nos um relance do invisível. A passagem é difícil; talvez seja até contraditória com o momento do Mont Blanc. Mesmo assim, Wordsworth parece estar tateando em direção a um equilíbrio: nem a ideia pura, envolta em nuvens, nem a imagem visual gravada a fogo na retina, dominante, nos decepcionando com sua clareza direta, mas a imagem sensorial, o mais fugaz possível, como um meio de agitar ou ativar a ideia que está enterrada mais fundo no solo da memória."

Ele faz uma pausa. Total incompreensão. Foi longe demais, depressa demais. Como levá-los junto? Como levá-la?

"É como estar apaixonado", diz. "Para começar, se você for cego dificilmente vai se apaixonar. Agora, você quer mesmo ver a amada com a fria claridade do aparelho visual? Talvez seja melhor deixar um véu sobre o olhar, para conservar viva a forma arquetípica, divina, da amada."

Isso pode não ter nada a ver com Wordsworth, mas pelo menos os desperta. *Arquétipos?*, eles dizem para si mesmos. *Forma divina? Do que é que ele está falando? O que é que esse velho sabe do amor?*

Uma lembrança aflora: o momento no chão em que levantou o suéter dela e revelou os seios pequenos, perfeitos, puros. Pela primeira vez ela levanta a cabeça; seus olhos encontram os dele e num átimo ela entende tudo. Confusa, baixa o olhar.

"Wordsworth está escrevendo sobre os Alpes", ele diz. "Não temos Alpes em nosso país, mas temos as Drakensberg, ou em escala menor o monte Table, que todos escalamos na trilha dos poetas, à espera de um desses momentos reveladores, wordsworthianos, de que ouvimos falar." Agora ele está dizendo qualquer coisa, disfarçando. "Mas momentos assim não acontecem se não tivermos os olhos meio voltados para os grandes arquétipos da imaginação que trazemos dentro de nós."

Basta! Ele está cheio do som da própria voz, e com pena dela também, tendo de ouvir essas intimidades disfarçadas. Ele dispensa a classe, depois fica esperando uma palavra dela. Mas Melanie sai junto com a turma.

Uma semana atrás, era só uma carinha bonita na classe. Agora, é uma presença na vida dele, uma presença pulsante.

O auditório da liga estudantil está escuro. Sem ser notado, ele se senta na última fila. A não ser por um careca de uniforme de bedel, umas filas à frente, ele é o único espectador.
Pôr do sol no salão Globe é o nome da peça que estão ensaiando: uma comédia sobre a nova África do Sul que se passa em um salão de cabeleireiro em Hillbrow, Johannesburgo. No palco, um cabeleireiro gay, muito desmunhecado, atende dois clientes, um preto, um branco. As falas rolam entre os três: piadas, insultos. A catarse parece ser o princípio dominante: toda a grosseria dos velhos preconceitos aberta à luz do dia e lavada em torrentes de gargalhadas.
Uma quarta figura entra em cena, uma garota de sapatos de plataforma enormes com o cabelo numa cascata de cachos. "Sente, querida, já cuido de você", diz o cabeleireiro. "É sobre o emprego", ela diz, "que vocês anunciaram." Ela carrega no sotaque *kaaps*, típico da Cidade do Cabo; é Melanie. "Ag, arre, pegue a vassoura e tente ser útil para alguma coisa", diz o cabeleireiro.
Ela pega a vassoura, que vai empurrando à sua frente pelo palco. A vassoura se enrola em um fio elétrico. Devia acontecer uma faísca, seguida de gritos e correria, mas alguma coisa dá errado com a sincronização. A diretora sobe ao palco, e atrás dela um jovem vestido de couro preto que começa a mexer com o soquete na parede. "Tem de ser mais ágil", diz a diretora. "Um clima mais Irmãos Marx." Vira-se para Melanie. "Ok?" Melanie faz que sim com a cabeça.
À frente dele, o bedel se levanta e com um profundo suspiro sai do auditório. Ele devia ir também. Que coisa mais

impertinente ficar sentado no escuro, espionando uma menina (sem querer, a palavra *cobiçando* lhe vem à mente). E, no entanto, os velhos aos quais está a ponto de se juntar, os vagabundos e andarilhos de capas de chuva manchadas e dentaduras rachadas e orelhas peludas — eles todos um dia foram filhos de Deus, com membros firmes e olhar desembaçado. Será que podem ser condenados por se agarrar até as últimas ao seu lugar no doce banquete dos sentidos?

No palco, retomam a ação. Melanie empurra a vassoura. Um estouro, uma explosão, gritos de alarme. "Não foi culpa minha", grasna Melanie. "Credo, por que tem de ser tudo minha culpa, sempre?" Silenciosamente, ele se levanta e sai atrás do bedel para o escuro lá de fora.

Às quatro horas da tarde seguinte, ele está no apartamento dela. Melanie abre a porta com uma camiseta amassada, shorts de ciclista e chinelos com a forma de esquilo de história em quadrinhos, que ele acha bobos, de mau gosto.

Ele não avisou que vinha; ela fica surpresa demais para resistir ao intruso que impõe sua presença. Quando ele a pega nos braços, ela fica mole como uma marionete. Palavras duras como bastões batem o delicado labirinto de seu ouvido. "Não, agora não!", ela diz, se debatendo. "Minha prima vai voltar logo!"

Mas nada o detém. Ele a leva para o quarto, arranca aqueles chinelos absurdos, beija-lhe os pés, perplexo com o sentimento que ela evoca. Algo a ver com sua aparição no palco: a peruca, o quadril rebolando, a fala rude. Estranho amor! Mas da aljava de Afrodite, deusa da espuma do mar, sem dúvida nenhuma.

Ela não resiste. Tudo o que faz é desviar: desvia os lábios, desvia os olhos. Deixa que ele a leve para a cama e tire sua roupa: até o ajuda, levantando os braços e depois os quadris. Pequenos arrepios de frio a percorrem; assim que está nua, enfia-se debaixo do cobertor xadrez como uma toupeira que se enterra, e vira as costas para ele.

Estupro não, não exatamente, mas indesejado mesmo assim, profundamente indesejado. Como se ela tivesse resolvido ficar mole, morrer por dentro enquanto aquilo durava, como um coelho quando a boca da raposa se fecha em seu pescoço. De forma que tudo o que lhe fosse feito, fosse feito, por assim dizer, de longe.

"Pauline vai voltar a qualquer momento", ela diz, quando acaba. "Por favor. Você tem de ir embora."

Ele obedece, mas quando chega ao carro é tomado por tal desânimo, tal embotamento, que fica encurvado sobre a direção, incapaz de se mexer.

Um erro, um grande erro. Nesse momento, ele não tem a menor dúvida, ela, Melanie, está tentando se limpar, se limpar dele. Ele a vê enchendo a banheira, entrando na água, de olhos fechados como uma sonâmbula. Gostaria de entrar numa banheira também.

Uma mulher de pernas grossas e tailleur de executiva passa e entra no prédio. Será a prima Pauline, a colega de apartamento, cuja opinião Melanie tanto teme? Ele se endireita, vai embora.

No dia seguinte, ela não vai à aula. Uma ausência infeliz, uma vez que é dia da prova parcial. Ao preencher a ficha depois, ele marca presença para ela e dá-lhe uma nota sete. Ao pé da página, a lápis, anota para si mesmo: "Provisório". Sete: nota dos indecisos, nem boa, nem má.

Ela se ausenta a semana inteira. Dia após dia, ele telefona, sem resposta. Então, à meia-noite de domingo, toca a campainha. É Melanie, vestida de preto dos pés à cabeça, com um bonezinho de lã preta. Tem o rosto cansado; ele se prepara para as palavras furiosas, para uma cena.

A cena não acontece. Na verdade, ela é que está embaraçada: "Posso dormir aqui hoje?", murmura, evitando os olhos dele.

"Claro, claro." O coração dele se enche de alívio. Estende os braços num abraço, ela fica dura e fria. "Venha, vou fazer um chá."

"Não, não quero chá, nada. Estou exausta, só quero apagar."

Ele apronta a cama no quarto que era de sua filha, dá-lhe um beijo de boa-noite e a deixa sozinha. Quando volta, meia hora depois, ela está dormindo profundamente, toda vestida. Ele lhe tira os sapatos, cobre-a.

Às sete da manhã, quando os primeiros passarinhos começam a trinar, ele bate na porta. Ela está acordada, debaixo do lençol até o queixo, com ar cansado.

"Como está?", ele pergunta.

Ela dá de ombros.

"Algum problema? Quer conversar?"

Ela sacode a cabeça, muda.

Ele se senta na cama, puxa-a para si. Dentro do abraço, ela começa a chorar sentido. Apesar de tudo, ele sente uma pontinha de desejo. "Pronto, pronto", sussurra, tentando acalmá-la. "Me conte o que foi." Quase diz: "Conte pro papai".

Ela se controla e tenta falar, mas está com o nariz entupido. Ele lhe dá um lenço de papel. "Posso ficar um pouco aqui?", ela pergunta.

"Ficar aqui?", ele repete, cuidadosamente. Ela parou de chorar, mas longos arrepios de angústia ainda a sacodem. "Será que é uma boa ideia?"

Se a ideia é boa, ela nada diz. Em vez disso, se aperta mais nele, o rosto quente na barriga dele. O lençol escorrega; ela está só de camiseta e calcinha.

Será que ela sabe em que está se metendo, naquele momento?

Quando ele fez o primeiro lance, no jardim da faculdade, tinha pensado em um casinho rápido — rápido para começar, rápido para acabar. Agora, ali estava ela, em sua casa, trazendo consigo uma trilha de complicações. Qual era o jogo? Ele tinha de se cuidar, não restava a menor dúvida. Devia ter se cuidado desde o começo.

Deita-se na cama ao lado dela. A última coisa no mundo de que precisa é que Melanie Isaacs venha morar com ele. Mas naquele momento a ideia é embriagadora. Ela estar ali todas as noites; todas as noites ele poder escorregar para a cama dela assim, escorregar para dentro dela. As pessoas iam descobrir, sempre descobrem; haveria murmúrios, talvez até um escândalo. Mas que importância tem isso? Uma última chama dos sentidos, antes de se apagar. Ele afasta as cobertas, acaricia seus seios, suas nádegas. "Claro que pode ficar", murmura. "Claro."

No quarto dele, o despertador dispara. Ela se afasta, puxa a coberta sobre os ombros.

"Vou sair agora", ele diz. "Tenho de dar aula. Tente dormir de novo. Volto ao meio-dia, podemos conversar." Acaricia o cabelo dela, beija-lhe a testa. Amante? Filha? O que ela está tentando ser, no fundo do coração? O que está oferecendo a ele?

Quando volta ao meio-dia, ela está acordada, sentada à mesa da cozinha, comendo torrada com mel e bebendo chá. Parece inteiramente à vontade.

"Então", ele diz, "você está bem melhor."

"Dormi depois que você saiu."

"Agora vai me contar qual é o problema?"

Ela evita o olhar dele. "Agora não", diz. "Tenho de ir embora, estou atrasada. Explico na próxima."

"E quando vai ser a próxima?"

"Hoje à noite, depois do ensaio. Tudo bem?"

"Tudo bem."

Ela se levanta, leva a xícara e o prato para a pia (mas não lava nada), vira-se e olha para ele. "Tem certeza que tudo bem?", pergunta.

"Tudo bem, sim."

"Quer dizer, eu sei que faltei numa porção de aulas, mas a peça está me tomando todo o tempo."

"Entendo. Está me dizendo que seu trabalho no teatro é mais importante. Teria sido melhor explicar antes. Vai à aula amanhã?"

"Vou. Prometo."

Ela promete, mas com uma promessa não confiável. Ele fica incomodado, irrita-se. Ela está se comportando mal, indo longe demais; aprendendo a explorá-lo e provavelmente vai explorá-lo ainda mais. Mas se ela foi longe demais, ele foi ainda pior; se ela está se comportando mal, ele se comportou pior. A ponto de estarem juntos, se é que estão juntos, e é ele que manda, ela é que obedece. É melhor ele não se esquecer disso.

4.

Transa com ela mais uma vez, na cama do quarto da filha. É bom, tão bom como da primeira vez; está começando a aprender o movimento do corpo dela. Ela é rápida, com fome de experiência. Se não sente nela um apetite sexual pleno, é só porque é muito jovem. Um momento torna-se inesquecível, quando ela engancha uma perna em suas nádegas para puxá-lo para mais perto: ao sentir o tendão da coxa dela se contrair contra seu corpo, é invadido por uma onda de alegria e desejo. Quem sabe, ele pensa, possa haver, apesar de tudo, algum futuro.

"Você faz sempre isso?", ela pergunta depois.

"Isso o quê?"

"Dormir com as alunas. Você dormiu com a Amanda?"

Ele não responde. Amanda é outra aluna da classe, uma loira magrela. Ele não tem nenhum interesse em Amanda.

"Por que você se divorciou?", ela pergunta.

"Me divorciei duas vezes. Casei duas vezes, me divorciei duas vezes."

"O que aconteceu com a sua primeira mulher?"
"É uma longa história. Outro dia eu conto."
"Você tem fotos?"
"Não coleciono fotos. Não coleciono mulheres."
"Eu não sou da coleção?"
"Claro que não."

Ela se levanta, passeia pelo quarto pegando as roupas, com a desenvoltura de quem está sozinha. Ele está acostumado com mulheres mais reservadas ao se vestir e se despir. Mas as mulheres com que está acostumado não são tão jovens, tão bem torneadas.

Nessa mesma tarde, batem na porta do escritório e entra um jovem que ele nunca viu antes. Sem ser convidado, senta-se, dá uma olhada na sala, sacode a cabeça para as estantes de livros.

É alto e magro; tem um cavanhaque fininho e um brinco na orelha; está de jaqueta preta de couro e calças pretas de couro. Parece mais velho que a maioria dos alunos; parece um problema.

"Então é você o professor", diz. "Professor David. Melanie falou de você."

"É? O que ela falou?"

"Que trepou com ela."

Faz-se um longo silêncio. Então, ele pensa: vai mesmo ter de pagar o preço. Eu devia saber: uma menina dessas não vem sem preço.

"Quem é você?", pergunta.

O visitante ignora a pergunta. "Acha que é esperto", continua. "Um garanhão. Acha que ainda vai se achar tão esperto quando sua mulher ficar sabendo o que você anda aprontando?"

"Já chega. O que você quer?"

"Não é você que vai dizer quando chega." As palavras brotam depressa agora, num tropel de ameaça. "E não pense que pode ir entrando assim na vida das pessoas e saindo quando bem entende." Os olhos pretos do moço rebrilham. Ele se inclina para a frente e bate com a mão para a direita e para a esquerda. Os papéis voam de cima da mesa.

Ele se levanta. "Agora chega! É melhor você sair agora!"

"*É melhor você sair agora!*", o rapaz repete, imitando o jeito dele. "Tudo bem." Levanta-se e vai calmamente até a porta. "Tchau, professor Chips! Mas espere só para ver!" E sai.

Um valentão, pensa. Ela está envolvida com um valentão e agora eu também estou envolvido com um valentão! Sente o estômago retorcer.

Fica esperando por ela até tarde essa noite, mas Melanie não aparece. Em vez disso, seu carro, estacionado na rua, é vandalizado. Pneus esvaziados, cola dentro das fechaduras, jornal colado no para-brisa, arranhões na pintura. As fechaduras têm de ser trocadas; a conta chega a seiscentos rands.

"Tem ideia de quem fez isso?", pergunta o chaveiro.

"Nenhuma", ele responde, seco.

Depois desse *coup de main*, Melanie mantém distância. Ele não se surpreende; se ficou com vergonha, ela também ficou. Mas na segunda-feira ela reaparece na aula; e ao lado dela, reclinado na carteira, mãos nos bolsos, com um afrontoso ar de à vontade, o rapaz de preto, o namorado.

Geralmente, há um burburinho de conversas dos estudantes. Hoje há silêncio. Embora ele não acredite que saibam o que está havendo, é claro que os alunos estão esperando para ver o que vai fazer com o intruso.

E o que vai fazer? O que aconteceu com seu carro evidentemente não bastou. Evidentemente há outras prestações em aberto. O que pode fazer? Tem de trincar os dentes e pagar, o que mais?

"Vamos continuar com Byron", diz, mergulhando nas anotações. "Como vimos na semana passada, a fama e o escândalo afetaram não só a vida de Byron, mas a maneira como os seus poemas eram recebidos pelo público. Byron, o homem, se viu fundido com suas criações poéticas — com Harold, Manfred, até com Don Juan."

Escândalo. Pena ser esse o seu tema, mas ele não está em condições de improvisar nada.

Arrisca uma olhada para Melanie. Ela geralmente anota tudo. Hoje, parecendo magra e exausta, está curvada sobre o livro. Sem querer, seu coração bate por ela. Pobre passarinho, pensa, que eu apertei no meu peito!

Ele mandou que lessem "Lara". Suas anotações são sobre "Lara". Não há como escapar do poema. Ele lê em voz alta:

Era um estranho neste mundo respirante,
de outro mundo caído, espírito errante;
coisa de escuros sonhares, que moldava
com a vontade os riscos que o acaso lhe poupava.

"Quem pode esclarecer esses versos para mim? Quem é esse 'espírito errante'? Por que ele chama a si mesmo de 'coisa'? De que mundo vem?"

Há muito deixou de se surpreender com o grau de ignorância dos alunos. Pós-cristãos, pós-históricos, pós-alfabetizados, eles podiam ter surgido dos ovos ontem mesmo. Portanto, não espera que saibam nada sobre anjos caídos ou sobre onde Byron possa ter lido sobre eles. O que espera é uma rodada de chutes que, com sorte, poderá orientar para o alvo. Mas hoje o que recebe é silêncio, um silêncio insistente que se organiza palpavelmente em torno do estranho em seu meio. Eles não falam, não jogam seu jogo, enquanto o estranho estiver ali para julgar e caçoar.

"Lúcifer", ele diz. "O anjo que foi atirado para fora do céu. Sabemos pouco de como vivem os anjos, mas podemos supor que não precisam de oxigênio. Em sua terra, Lúcifer, o anjo das sombras, não precisa respirar. De repente, ele se vê expulso para este nosso estranho 'mundo respirante'. 'Errante': um ser que escolhe seu próprio caminho, que vive perigosamente, chegando mesmo a criar o perigo para si próprio. Vamos ler mais um pouco."

O rapaz não olhou nem uma vez para o texto. Ao contrário, com um sorrisinho nos lábios, um sorriso em que existe, talvez, um toque de curiosidade, ele assimila suas palavras.

Por outrem
podia às vezes renunciar ao próprio bem,
mas não por piedade, nem por obrigação,
mas por uma estranha maldade de intenção,
que com secreto orgulho o impulsionava
a fazer o que pouco ou nenhum ousava;
e esse mesmo espírito talvez o anime
na hora da tentação a ceder ao crime.

"Então, que tipo de criatura é esse Lúcifer?"

Nesse ponto, os alunos já devem com certeza estar sentindo a corrente que flui entre os dois, entre o rapaz e ele. A pergunta foi dirigida ao rapaz apenas; e, como alguém que dorme e é chamado à vida, o rapaz responde: "Ele faz o que sente vontade. Não importa se é bom ou mau. Faz e pronto".

"Exatamente. Bem ou mal ele faz. Não age por princípio, mas por impulso, e a fonte de seus impulsos é obscura para ele. Leiam uns versos adiante. 'Sua loucura não é da cabeça, é do coração.' Um coração louco. O que é um coração louco?"

Está perguntando demais. O rapaz gostaria de forçar mais sua intuição, ele percebe isso. Quer mostrar que entende de algo mais que de motos e roupas modernas. E talvez entenda mesmo. Talvez tenha de fato uma noção do que é ter um coração louco. Mas ali na classe, diante desses estranhos, as palavras não vêm. Ele sacode a cabeça.

"Não tem importância. Vejam que o poeta não nos pede para condenar esse ser com o coração louco, esse ser que tem alguma coisa errada em sua própria constituição. Ao contrário, o que nos é proposto é compreender e mostrar tolerância. Mas há um limite para a tolerância. Pois embora viva entre nós, ele não é um de nós. Ele é exatamente o que disse ser: uma *coisa*, isto é, um monstro. Enfim, Byron irá sugerir que não é possível amá-lo, não no sentido humano mais profundo dessa palavra. Ele será condenado à solidão."

Cabeças baixas, eles anotam suas palavras. Byron, Lúcifer, Caim, para eles é tudo a mesma coisa.

Terminam o poema. Ele manda lerem os primeiros cantos do *Don Juan* e acaba a aula mais cedo. Por cima das cabeças, dirige-se a ela: "Melanie, posso falar com você?".

De cara amarrada, exausta, ela para diante dele. Mais uma vez, ele sente o coração bater por ela. Se estivessem sozinhos, abraçaria a menina, tentaria alegrá-la. *Meu amorzinho*, diria.

"Vamos para a minha sala?", é o que diz.

Com o namorado seguindo atrás, ele a leva escada acima até sua sala. "Espere aqui", diz ao rapaz, e fecha a porta na cara dele.

Melanie senta-se na sua frente, a cabeça afundada. "Melanie", ele diz, "você está atravessando um momento difícil, sei disso, e não quero piorar as coisas. Mas tenho de agir como professor. Tenho obrigações com meus alunos, todos. O que o seu amigo faz fora do campus é problema dele. Mas não posso admitir que perturbe a minha aula. Diga isso a ele, por mim.

"Agora, você vai ter de dedicar mais tempo ao trabalho. Vai ter de assistir às aulas com mais regularidade. E vai ter de fazer a prova que perdeu."

Ela fica olhando para ele perplexa, chocada mesmo. *Você me afastou de todo mundo,* ela parece querer dizer. *Me fez guardar seu segredo. Não sou mais só uma aluna. Como pode falar assim comigo?*

A voz dela, quando sai, é tão baixa que ele mal escuta: "Não posso fazer a prova, não li nada".

O que ele quer dizer não pode ser dito, não dentro das regras da decência. Tudo o que pode fazer é insinuar e esperar que ela entenda. "Faça a prova, Melanie, como todo mundo. Não importa que não esteja preparada, o que interessa é não deixar isso para trás. Vamos marcar um dia. Que tal segunda-feira que vem, na hora do almoço? Vai ter o fim de semana para fazer as leituras."

Ela levanta o queixo, encara-o desafiante. Ou não entendeu ou está recusando a abertura.

"Segunda-feira, aqui na minha sala", ele repete.

Ela se levanta, põe a alça da bolsa no ombro.

"Melanie, eu tenho responsabilidades. Dê, pelo menos, os passos que tem de dar. Não faça a situação ficar mais complicada do que já é."

Responsabilidades: ela não se digna a responder.

Ao voltar de um concerto essa noite, ele para o carro num farol vermelho. Uma motocicleta passa por ele, uma Ducati prateada com duas figuras de negro. As duas de capacete, mas mesmo assim ele reconhece Melanie, no banco de trás, com os joelhos abertos, a pélvis arqueada. Sente uma breve fisgada de luxúria. *Eu estive ali!*, pensa. Então, a moto avança e a leva embora.

5.

Ela não aparece para a prova na segunda-feira. Em vez disso, ele encontra na caixa do correio um cartão oficial de desistência: A estudante 7710101SAM senhorita M. Isaacs cancelou sua matrícula no COM 312. O cancelamento entra imediatamente em vigor.

Menos de uma hora depois, um telefonema é transferido para sua sala. "Professor Lurie? Tem um momento para falar comigo? Meu nome é Isaacs, estou falando de George. Minha filha está fazendo o seu curso, o senhor conhece, Melanie."

"Sei."

"Professor, queria ver se o senhor pode ajudar a gente. Melanie sempre foi tão boa aluna, e agora está dizendo que vai largar tudo. Foi um choque muito grande para nós."

"Acho que não estou entendendo."

"Ela quer largar a escola e arrumar um emprego. Me parece um desperdício tão grande, passar três anos da universidade indo tão bem, e largar tudo assim, antes de terminar. Queria ver, professor, se o senhor não podia ter uma conversa com ela, ver se ela entende."

"Já falou com Melanie? Sabe por que ela resolveu isso?"

"Passamos o fim de semana inteiro falando com ela pelo telefone, a mãe e eu, mas parece que ela não quer entender. Está muito animada com a peça que está fazendo, vai ver está sobrecarregada, entende?, estressada. Leva as coisas sempre tão a sério, professor, é o jeito dela, sempre muito responsável. Mas se o senhor falar com ela, quem sabe consegue fazer ela pensar melhor. Ela respeita muito o senhor. Não queremos que jogue fora todos esses anos por nada."

Então Melanie — Meláni com suas quinquilharias da Oriental Plaza e sua cegueira para Wordsworth leva as coisas a sério. Ele não teria percebido isso. O que mais será que não sabe sobre ela?

"Não sei se sou a pessoa certa para falar com Melanie."

"É, sim, professor, é, sim! Escute o que eu digo, Melanie tem muito respeito pelo senhor."

Respeito? O senhor está atrasado, senhor Isaacs. Sua filha perdeu o respeito por mim faz semanas, e por uma boa razão. Isso é o que ele devia dizer. "Vou ver o que posso fazer", é o que diz.

Não vai se safar dessa, diz para si mesmo depois. Papai Isaacs, lá na distante George, também não vai esquecer a conversa, com suas mentiras e evasões. *Vou ver o que posso fazer.* Por que não jogar limpo? *Eu sou o bicho da maçã*, ele devia dizer. *Como posso ajudar se sou eu a fonte do seu sofrimento?*

Telefona para o apartamento e fala com a prima Pauline. Melanie não pode atender, Pauline diz com uma voz gelada. "Como assim, não pode atender?" "Ela não quer falar com o senhor." "Diga que é sobre essa decisão de cancelar a inscrição. Diga que está sendo muito precipitada."

A aula de quarta-feira vai mal, a de sexta pior ainda. O comparecimento é baixo, os únicos alunos presentes são os apáticos, os passivos, os dóceis. Só pode haver uma explicação. A história deve ter vazado.

Ele está na secretaria do departamento quando ouve uma voz às suas costas: "Onde é que fica o professor Lurie?".

"Estou aqui", diz sem pensar.

O homem que falou é pequeno, magro, de ombros curvados. Usa terno azul grande demais para ele, cheira a fumaça de cigarro.

"Professor Lurie? A gente se falou pelo telefone. Isaacs."

"Sei. Como vai? Vamos para a minha sala?"

"Não vai ser preciso." O homem faz uma pausa, prepara-se, respira fundo. "Professor", começa a dizer, pondo um grande peso na palavra, "o senhor pode ser muito culto e tudo, mas o que fez não é direito." Faz uma pausa, sacode a cabeça. "Não é direito."

As duas secretárias não disfarçam a curiosidade. Há alunos na sala também; quando a voz do estranho se eleva, eles se calam.

"Colocamos nossos filhos nas mãos de vocês porque achamos que podemos confiar em vocês. Se não se pode confiar na universidade, em quem se pode confiar? Nunca pensamos que estávamos mandando nossa filha para um ninho de cobras. Não, professor Lurie, o senhor pode ser muito importante e ter tudo quanto é diploma, mas se eu fosse o senhor teria muita vergonha de mim mesmo, pelo amor de Deus. Se eu estiver errado, o senhor pode me corrigir agora, mas acho que não estou, dá para ver pela sua cara."

Sua chance é agora: quem quiser falar que se manifeste. Mas ele fica mudo, o sangue latejando nos ouvidos. Uma cobra: como negar?

"Desculpe", sussurra, "tenho muita coisa para fazer." Como um ser de pedra, ele se vira e sai.

No corredor lotado, Isaacs vai atrás dele. "Professor! Professor Lurie!", grita. "Não pense que vai fugir assim! Eu ainda não falei tudo, o senhor vai ouvir agora!"

É assim que a coisa começa. Na manhã seguinte, com surpreendente agilidade, chega um memorando da secretaria do vice-reitor (Assuntos Estudantis) notificando que foi registrada uma queixa contra ele, segundo o artigo 3.1 do Código de Conduta da universidade. Ele deve comparecer ao escritório do vice-reitor o mais depressa possível.

A notificação — que chega em um envelope carimbado *Confidencial* — traz anexa uma cópia do código. O artigo 3 trata da vitimização ou assédio com base em raça, grupo étnico, religião, gênero, preferência sexual ou deficiência física. O artigo 3.1 trata da vitimização ou assédio de estudantes por professores.

Um segundo documento descreve a constituição e competências das comissões de investigação. Ele lê, com o coração desagradavelmente disparado. Na metade, não consegue mais se concentrar. Levanta-se, tranca a porta de sua sala e senta-se com o papel na mão, tentando imaginar o que aconteceu.

Melanie não teria dado esse passo sozinha, disso ele tem certeza. É inocente demais para isso, ignorante demais do próprio poder. Ele, o homenzinho no terno mal ajustado, deve estar por trás de tudo, ele e a prima Pauline, a sem graça, a bruxa. Devem ter convencido a menina, pelo cansaço, e depois ido com ela até o escritório da administração.

"Queremos registrar uma queixa", devem ter dito.

"Registrar queixa? Que tipo de queixa?"

"É particular."

"Assédio", a prima Pauline teria dito, enquanto Melanie morria de vergonha, "contra um professor."

"Podem ir para a sala tal e tal."

Na sala tal e tal, ele, Isaacs, fica um pouco mais ousado. "Queremos registrar uma queixa contra um dos seus professores."

"O senhor já pensou bem? Tem certeza de que quer fazer uma coisa dessas?", teriam respondido, segundo o regulamento.

"Sim, sabemos o que queremos fazer", ele teria respondido, olhando para a filha, desafiando a menina a protestar.

É preciso preencher um formulário. O formulário é colocado diante deles, com uma caneta. A mão pega a caneta, a mão que ele beijou, a mão que ele conhece intimamente. Primeiro o nome da queixosa: MELANIE ISAACS, em caprichadas letras de forma. Pela coluna de quadradinhos a mão desce, procurando qual marcar. *Esse*, aponta o dedo do pai, manchado de nicotina. A mão ralenta, para, marca o X, a cruz da retidão: *J'accuse*. Então o espaço para o nome do acusado. DAVID LURIE, escreve a mão: PROFESSOR. Finalmente, ao pé da página, a data e a assinatura dela: o arabesco do *M*, o *l* com sua curva audaciosa, o traço descendente do *I*, o floreio do *s* final.

Está feito. Os dois nomes na página, o dele e o dela, lado a lado. Os dois na cama, não mais amantes, mas oponentes.

Ele liga para a secretaria do vice-reitor, e marcam uma reunião para as cinco da tarde, fora do horário de expediente.

Às cinco horas, está esperando no corredor. Aram Hakim, ensebado e juvenil, aparece e o chama para dentro. Na sala já estão duas pessoas: Elaine Winter, chefe do seu departamento, e Farodia Rassool, das Ciências Sociais, que preside a comissão sobre discriminação de toda a universidade.

"Já é tarde, David, e nós todos sabemos por que estamos aqui", diz Hakim, "então vamos direto ao assunto. Como podemos lidar com essa história?"

"Você podia me informar sobre a queixa."

"Muito bem. Estamos aqui para falar de uma queixa registrada pela senhorita Melanie Isaacs. E também", ele dá uma olhada para Elaine Winter, "de algumas irregularidades anteriores que parecem afetar a senhorita Isaacs. Elaine?"

Elaine Winter pega a deixa. Ela nunca gostou dele; considera-o um resto do passado, que quanto mais cedo for descartado, melhor. "Tem um problema de comparecimento da senhorita Isaacs, David. Segundo ela, falei com ela pelo telefone, disse que só compareceu a duas aulas no mês passado. Se for verdade, você devia ter informado. Ela disse também que perdeu a prova parcial. Mesmo assim", dá uma olhada na pasta à sua frente, "de acordo com a sua ficha, o comparecimento dela não está comprometido e tirou sete na prova parcial." Olha para ele, intrigada. "Portanto, a menos que existam duas Melanie Isaacs..."

"Só existe uma", ele diz. "Não tenho defesa."

Hakim interfere, conciliador. "Amigos, não é a hora nem o lugar para tratar de questões mais sérias. O que temos de fazer", ele olha para as outras duas, "é definir como proceder. Nem é preciso dizer, David, que o assunto vai ser tratado com a maior discrição, isso eu garanto. Seu nome será preservado, o nome da senhorita Isaacs também. Vamos formar uma comissão. Que vai ter como função determinar se há base para que se tomem medidas disciplinares. Você ou o seu representante legal vão poder opinar sobre a sua composição. As audiências vão ser registradas em vídeo. Enquanto isso, até o comitê fazer sua recomendação ao reitor e o reitor tomar uma atitude, tudo continua como antes. A senhorita Isaacs cancelou a matrícula do curso que fazia com você, e espera-se que você evite todo contato com ela. Estou esquecendo de alguma coisa, Farodia, Elaine?"

De lábios apertados, a dra. Rassool sacode a cabeça.

"É sempre complicado esse negócio de assédio, David, complicado e infeliz, mas acreditamos que nosso procedimento será justo e correto, de forma que vamos passo a passo, seguindo todas as regras. O que eu sugiro é que você se familiarize com os procedimentos e talvez contrate um representante legal."

Ele está a ponto de responder, mas Hakim levanta uma mão. "Pense bem antes, David", diz.

Ele não aguenta mais. "Não me diga o que fazer, não sou criança."

Sai da sala furioso. Mas o edifício está trancado e o porteiro foi embora. A saída dos fundos também está trancada. Hakim tem de abrir a porta para ele.

Está chovendo. "Venha embaixo do meu guarda-chuva", diz Hakim; e uma vez diante de seu carro: "Pessoalmente, David, quero que você saiba que tem todo o meu apoio. De verdade. Essas coisas podem ser um inferno".

Ele conhece Hakim faz anos, os dois costumavam jogar tênis quando ele jogava tênis, mas não está com espírito para camaradagem masculina. Dá de ombros, irritado, e entra no carro.

O caso deveria ser confidencial, mas evidentemente não é, evidentemente as pessoas falam. Por que outra razão, quando entra na sala comunitária, cai o silêncio sobre a conversa? Por que uma colega mais jovem, com quem manteve até agora relações perfeitamente cordiais, larga a xícara de chá e vai embora, olhando através dele ao passar ao seu lado? Por que só dois alunos aparecem para a primeira aula sobre Baudelaire?

O moinho da intriga, ele pensa, gira noite e dia, moendo as reputações. A comunidade é correta, reunindo-se nos cantos, pelo telefone, por trás de portas fechadas. Murmúrios jubilosos. *Schadenfreude*. Primeiro a sentença, depois o julgamento.

Nos corredores do Prédio das Comunicações ele faz questão de andar de cabeça erguida.

Fala com o advogado que cuidou do divórcio. "Vamos esclarecer uma coisa antes", diz o advogado, "a alegação é verdadeira?"

"Verdadeira. Eu estava tendo um caso com a menina."

"Sério?"

"Se fosse sério seria pior ou melhor? Depois de certa idade, todos os casos são sérios. Como um ataque cardíaco."

"Bom, o meu conselho é que você, por uma questão de estratégia, chame uma mulher para representar você." Ele menciona dois nomes. "Procure um acordo particular. Você pode se comprometer a fazer alguma coisa, talvez fosse bom tirar uma licença, e quando voltar à universidade convence a menina ou a família dela a retirar a queixa. Seria o melhor para você. Um cartão amarelo. Minimizar os danos, esperar que o escândalo se esgote sozinho."

"Me comprometer a fazer o quê?"

"Treinamento de sensibilização. Serviço comunitário. Aconselhamento. O que der para negociar."

"Aconselhamento? Eu preciso de aconselhamento?"

"Não me entenda mal. Estou só dizendo que uma das suas opções pode ser o aconselhamento."

"Para me corrigir? Para me curar? Me curar de desejos inadequados?"

O advogado dá de ombros. "Seja o que for."

No campus, acontece a Semana de Alerta Contra o Estupro. A associação *Women Against Rape*, WAR, Mulheres Contra o Estupro, anuncia uma vigília de vinte e quatro horas em solidariedade a "vítimas recentes". Ele encontra um panfleto embaixo da porta: "FALAM AS MULHERES". E escrito a lápis, embaixo: "VOCÊ JÁ ERA, CASANOVA".

Ele vai jantar com a ex-mulher, Rosalind. Estão separados faz oito anos; devagar, cautelosamente, estão de certa forma voltando a ser amigos. Veteranos de guerra. É confortador saber que Rosalind ainda mora por perto: talvez ela sinta a mesma coisa em relação a ele. Alguém com quem se pode contar quando chega o pior: um tombo no banheiro, o sangue na privada.

Falam de Lucy, filha única do primeiro casamento dele, que agora mora numa fazenda no Cabo Leste. "Pode ser que a gente se encontre logo", ele diz, "estou pensando em viajar."

"No meio do semestre?"

"Está quase no fim. Mais duas semanas e termina, pronto."

"Tem alguma coisa a ver com os problemas que você está tendo? Ouvi dizer que você está com problemas."

"Ouviu dizer onde?"

"As pessoas falam, David. Todo mundo sabe desse seu último caso, com todos os detalhes mais saborosos. Ninguém está a fim de esconder, só você. Posso dizer o que penso?"

"Não, não pode."

"Mas vou dizer assim mesmo. Uma idiotice, uma coisa feia. Não sei como você resolve a sua questão sexual nem quero saber, mas esse não é o melhor jeito, não. Você tem quanto? Cinquenta e dois? Acha que uma menina sente algum prazer de ir para a cama com um homem dessa idade? Acha que ela gosta de ficar olhando para você no meio da...? Já pensou nisso?"

Ele fica quieto.

"Não espere nenhum apoio de mim, David, e de ninguém. Nem apoio, nem consideração, não nos dias de hoje. Vai estar todo mundo contra você. E por que seria diferente? Realmente, como é que você *pôde*?"

Volta o velho tom, o tom dos últimos anos de sua vida de casados: a recriminação apaixonada. Até Rosalind deve ter consciência disso. Mesmo assim, pode ser que tenha razão. Talvez esteja certo evitar que os jovens vejam os mais velhos nos espasmos da paixão. É para isso que existem as putas, afinal: para aguentar os êxtases dos não atraentes.

"Bom", Rosalind continua, "você vai ver a Lucy."

"É, pensei em ir até lá depois do inquérito, ficar um pouco com ela."

"Inquérito?"

"Vai haver uma sessão da comissão de inquérito semana que vem."

"Que rápido. E depois de visitar a Lucy?"

"Não sei. Não tenho certeza se vou poder voltar para a universidade. Não tenho certeza se é isso que eu quero."

Rosalind sacode a cabeça. "Que final de carreira inglório, não acha? Não vou perguntar se valeu a pena o que essa menina deu para você. E o que é que vai fazer da vida? E a sua pensão?"

"Isso eu arranjo com eles. Não vão poder me dispensar sem nem um tostão."

"Não mesmo? Eu não teria tanta certeza. Quantos anos tem... a sua *inamorata*?"

"Vinte. Maior de idade. Idade suficiente para tomar suas próprias decisões."

"O que dizem é que ela tomou comprimidos para dormir. É verdade?"

"Não sei nada de comprimidos para dormir. Me parece invenção. Quem falou de comprimidos para dormir?"

Ela ignora a pergunta. "Ela estava apaixonada por você? Você dispensou a menina?"

"Não. Nenhuma das duas coisas."

"Então por que a queixa?"

"Quem vai saber? Ela não confiou em mim. Por trás do pano, havia alguma disputa da qual eu não estava sabendo. Um namorado ciumento. Pais indignados. Ela deve ter desmoronado. Fui pego de surpresa."

"Devia ter pensado nisso, David. Está velho demais para se meter com os filhos dos outros. Devia esperar o pior. Que coisa mais humilhante. Realmente."

"Você não perguntou se eu gosto dela. Não vai perguntar isso também?"

"Tudo bem. Você está apaixonado por essa mocinha que jogou seu nome na lama?"

"Ela não tem culpa. Não ponha a culpa nela."

"Não tem culpa! Você está do lado de quem? Claro que é culpa dela! Culpa sua e culpa dela. A história toda é infame do começo ao fim. Infame e vulgar. E não tenho o menor problema em dizer isso."

Antigamente, nesse ponto, ele teria saído furioso. Mas hoje não. Os dois estão calejados, ele e Rosalind, um contra o outro.

No dia seguinte, Rosalind telefona. "David, já viu o *Argus* de hoje?"

"Não."

"Bom, melhor você ver. Tem uma coisa a seu respeito."

"O que diz?"

"Leia você mesmo."

A reportagem está na página três: "Professor enfrenta queixa sexual", é a manchete. Ele pula as primeiras linhas. "...deverá comparecer perante uma comissão disciplinar, acusado de assédio sexual. A Universidade Técnica do Cabo está mantendo segredo sobre este caso que é o mais recente de uma série de escândalos que vão desde fraude no pagamento de bolsas de estudos até um possível círculo de sexo nas residências estudantis. Lurie (53), autor de um livro sobre o poeta inglês da natureza William Wordsworth, não quis dar entrevista."

William Wordsworth (1770-1850), poeta da natureza. David Lurie (1945-?), crítico e discípulo infame de William Wordsworth. *Blest be the infant babe. No outcast he. Blest be the babe.*

6.

A audiência é na sala da comissão, ao lado do escritório de Hakim. Quem o leva para dentro e o coloca sentado à mesa é o próprio Manas Mathabane, professor de Estudos Religiosos, que vai presidir o inquérito. À sua esquerda fica Hakim, a secretária dele e uma jovem, uma estudante qualquer; à direita os três membros da comissão de Mathabane.

Ele não está nervoso. Ao contrário, está bem seguro. Seu coração bate regularmente, dormiu bem. Vaidade, ele pensa, a perigosa vaidade do jogador; vaidade e autoconfiança. Está entrando nessa história com o espírito errado. Mas não importa.

Cumprimenta com a cabeça os membros do comitê. Conhece dois deles: Farodia Rassool e Desmond Swarts, reitor da Engenharia. A terceira, segundo os papéis à sua frente, é professora da Escola de Administração.

"A comissão aqui reunida, professor Lurie", diz Mathabane, abrindo a sessão, "não tem poderes. Tudo o que podemos fazer é uma recomendação. Posteriormente, o senhor terá o direito de recorrer. Quero fazer uma pergunta: existe na comissão algum membro cuja participação possa ser prejudicial para o senhor?"

"Não tenho nenhuma restrição legal", ele responde. "Tenho reservas do ponto de vista filosófico, mas acho que isso não será levado em conta."

Agitação e incômodo geral. "Acho melhor nos mantermos no terreno legal", diz Mathabane. "O senhor não tem nenhuma restrição à composição da comissão. Tem alguma objeção à presença de uma estudante como observadora da Coalizão Contra a Discriminação?"

"Não tenho medo da comissão. Não tenho medo da observadora."

"Muito bem. Vamos começar. A primeira queixosa é senhorita Melanie Isaacs, uma estudante do programa de teatro, que fez uma declaração de que todos têm uma cópia. Será preciso fazer um resumo das declarações? Professor Lurie?"

"Devo entender, presidente, que a senhorita Isaacs não vai comparecer em pessoa?"

"A senhorita Isaacs foi ouvida por esta comissão ontem. Quero relembrar ao senhor que isto não é um julgamento, mas um inquérito. Nossas regras de procedimento não são iguais às do tribunal. O senhor vê algum problema nisso?"

"Não."

"Uma segunda queixa, correlata", Mathabane continua, "foi feita pela Secretaria, por intermédio do Departamento de Registros Estudantis, e é sobre a validade da ficha da senhorita Isaacs. Diz a queixa que a senhorita Isaacs não compareceu a todas as aulas, não apresentou todos os trabalhos escritos, nem prestou todas as provas para as quais o senhor lhe deu nota."

"Isso é tudo? São essas as queixas?"

"São essas."

Ele respira fundo. "Tenho certeza de que os membros desta comissão têm mais o que fazer do que perder tempo com uma história que não vai ser contestada. Eu me declaro culpado em ambos os casos. Podem resolver qual vai ser a sentença e vamos retomar as nossas vidas."

Hakim inclina-se para Mathabane. Correm palavras murmuradas entre eles.

"Professor Lurie", diz Hakim, "quero insistir que isto é uma comissão de inquérito. Nosso papel é ouvir ambos os lados e fazer uma recomendação. Não temos poder de decisão. Mais uma vez pergunto se não seria melhor o senhor ser representado por alguém mais familiarizado com os nossos procedimentos."

"Não preciso de representante. Posso me defender perfeitamente sozinho. Devo entender que, apesar do que eu acabo de declarar, vamos ter de continuar com a audiência?"

"Queremos que o senhor tenha a oportunidade de defender sua posição."

"Já defendi minha posição. Sou culpado."

"Culpado de quê?"

"De tudo o que me acusam as queixas."

"O senhor está nos fazendo voltar ao ponto de partida, professor Lurie."

"De tudo o que a senhorita Isaacs alega e de falsificar a ficha."

Farodia Rassool intervém. "O senhor está dizendo que aceita as declarações da senhorita Isaacs, professor Lurie, mas o senhor leu essa declaração?"

"Não preciso ler a declaração da senhorita Isaacs. Aceito o que diz. Não vejo nenhuma razão para a senhorita Isaacs mentir."

"Mas não seria mais prudente o senhor de fato ler a declaração antes de aceitar?"

"Não. Na vida existem coisas mais importantes do que a prudência."

Farodia Rassool encosta-se na cadeira. "Isso é tudo muito quixotesco, professor Lurie, mas será que o senhor pode se dar a esse luxo? Está me parecendo que nós vamos ser obrigados a proteger o senhor de si mesmo." Ela dá um sorriso glacial para Hakim.

"O senhor disse que não procurou aconselhamento legal. Consultou alguém, um padre, por exemplo, ou um terapeuta? O senhor está preparado para receber aconselhamento?"

A pergunta vem da jovem da Escola de Administração. Ele sente que está se irritando. "Não, não procurei nenhum aconselhamento, nem pretendo procurar. Sou um homem adulto. Não sou receptivo a conselhos. Não confio em aconselhamento." Ele se volta para Mathabane. "Já dei minha declaração. Existe alguma razão para que este debate continue?"

Há uma troca de sussurros entre Mathabane e Hakim.

"A proposta", diz Mathabane, "é que a audiência seja suspensa para discutir a declaração do professor Lurie."

Todos concordam.

"Professor Lurie, o senhor poderia sair alguns minutos, o senhor e a senhorita van Wyk, enquanto nós deliberamos?"

Ele e a estudante observadora se retiram para a sala de Hakim. Não trocam nem uma palavra; é evidente que a menina se sente pouco à vontade. "VOCÊ JÁ ERA, CASANOVA." O que será que ela acha do Casanova agora que estão cara a cara?

São chamados de volta. O clima da sala não é nada bom: tenso, lhe parece.

"Então, retomando", diz Mathabane, "o senhor, professor Lurie, diz que aceita como verdade o conteúdo das queixas apresentadas contra o senhor?"

"Aceito tudo que a senhorita Isaacs alega."

"Doutora Rassool, a senhora tem alguma coisa a dizer?"

"Tenho. Quero registrar minha objeção a essas respostas do professor Lurie, que considero basicamente evasivas. O professor Lurie diz que aceita as acusações. Mas quando tentamos fazer com que defina o que é que está aceitando de fato, tudo o que recebemos de volta é uma sutil zombaria. Para mim, isso é sinal de que ele só aceita formalmente as acusações. Num caso com os aspectos que este aqui apresenta, a comunidade em geral tem o direito de..."

Ele não pode deixar passar uma coisa dessas. "Este caso não tem aspecto nenhum", reage.

"A comunidade tem o direito de saber", ela continua, levantando a voz com prática, dominando a dele, "o que o professor Lurie admite especificamente e, portanto, qual a censura que está sendo feita a ele."

Mathabane: "Se é que alguma censura está sendo feita".

"Se é que alguma censura está sendo feita. Não estaremos cumprindo o nosso dever se nosso pensamento não for cristalino, e se não deixarmos cristalinamente clara em nossa recomendação qual a censura ao professor Lurie."

"Nosso pensamento está, acredito, cristalino, doutora Rassool. O problema é saber se o professor Lurie está pensando com clareza cristalina."

"Exatamente. É exatamente isso que eu queria dizer."

Seria mais sábio calar-se, mas ele não se cala. "O que eu estou pensando só diz respeito a mim mesmo, Farodia", ele diz. "Francamente, o que vocês querem de mim não é uma resposta, é uma confissão. Bom, não vou confessar nada. Já me declarei, como é de meu direito. Culpado, conforme as queixas. É o que eu tenho a dizer. É só até aí que estou disposto a chegar."

"Senhor presidente, eu protesto. A questão vai além do

aspecto meramente técnico. O professor Lurie diz que é culpado, mas eu me pergunto se ele aceita sua culpa ou está simplesmente cumprindo o seu papel na esperança de que o caso acabe enterrado na burocracia e esquecido. Se ele está simplesmente cumprindo um papel, meu conselho é que a comissão imponha a pena mais severa."

"Devo lembrar mais uma vez, doutora Rassool", diz Mathabane, "que nós não podemos impor nenhuma pena."

"Então devemos recomendar a pena mais severa. Que o professor Lurie seja despedido imediatamente e perca todos os seus benefícios e privilégios."

"David?" A voz vem de Desmond Swarts, que até agora não falou nada. "David, você tem certeza que está lidando da melhor maneira com esta situação?" Swarts volta-se para o presidente. "Senhor presidente, como eu já disse quando o professor Lurie estava fora da sala, acredito que como membros da comunidade universitária não devemos proceder contra um colega de modo formalista e frio. David, você tem certeza que não quer um adiamento para ter algum tempo para pensar e talvez consultar alguém?"

"Por quê? No que é que eu tenho de pensar?"

"Na gravidade da situação, que acho que você não está avaliando. Para falar francamente, você pode perder o emprego. Isso não é brincadeira hoje em dia."

"E o que você me aconselha a fazer? Eliminar do tom da minha voz o que a doutora Rassool chama de sutil zombaria? Chorar de arrependimento? O que é preciso para me salvar?"

"Pode ser difícil de acreditar, David, mas nós aqui em volta desta mesa não somos seus inimigos. Todos nós temos nossos momentos de fraqueza, todos nós; somos apenas seres humanos. Seu caso não é único. Gostaríamos de achar um jeito de você continuar sua carreira."

Hakim se junta a ele, com facilidade. "Queríamos ajudar você, David, a achar uma saída para esse pesadelo."

São seus amigos. Querem salvá-lo da própria fraqueza, despertá-lo do pesadelo. Não querem vê-lo mendigando nas ruas. Querem que volte para a sala de aula.

"Nesse coro de boa vontade", ele diz, "não ouço nenhuma voz feminina."

Silêncio.

"Muito bem", continua, "eu confesso. A história começa uma noite, não me lembro a data, mas não faz muito tempo. Eu estava andando pelos jardins da faculdade e, de repente, apareceu a jovem em questão, a senhorita Isaacs. Nossos caminhos se cruzaram. Trocamos algumas palavras, e naquele momento aconteceu algo que, não sendo poeta, não vou tentar descrever. Basta dizer que Eros manifestou-se. Depois disso, não fui mais o mesmo."

"Não foi mais o mesmo como?", pergunta, cautelosa, a administradora.

"Não fui mais eu mesmo. Não era mais o divorciado de cinquenta anos meio perdido. Era um escravo de Eros."

"Isso é uma defesa que o senhor está nos apresentando? Impulso incontrolável?"

"Não é uma defesa. Vocês querem uma confissão, eu estou fazendo uma confissão. Quanto ao impulso, estava longe de incontrolável. Já resisti a impulsos como esse muitas vezes antes, lamento dizer."

"Você não acha", diz Swarts, "que a natureza da vida acadêmica exige certos sacrifícios? Que para o bem de todos devemos nos furtar a certos prazeres?"

"O que você tem em mente é a proibição da intimidade entre gerações?"

"Não, não necessariamente. Mas como professores ocupamos posições de poder. Talvez proibir a mistura de relações de poder com relações sexuais. Que eu sinto que era o que estava acontecendo neste caso. Ou recomendar extrema cautela."

Farodia Rassool interfere: "De novo estamos voltando ao ponto de partida, senhor presidente. Ele se diz culpado, sim, mas quando tentamos chegar a coisas específicas, de repente não é mais o abuso de uma jovem que ele está confessando, mas apenas um impulso a que não pode resistir, sem qualquer menção ao sofrimento que provocou, sem qualquer menção à longa história de exploração de que isto tudo faz parte. Por isso é que eu digo que é inútil discutir com o professor Lurie. Devemos aceitar a declaração dele textualmente e fazer a nossa recomendação de acordo com ela".

Abuso: ele estava esperando essa palavra. Pronunciada com voz trêmula de indignação. O que será que ela vê, quando olha para ele, que a coloca nesse grau de raiva? Um tubarão no meio de peixinhos indefesos? Ou será que tem outra visão: um grande macho ossudo atacando uma menina-moça, uma grande mão silenciando seus gritos? Que absurdo! Então ele se lembra: ontem eles se reuniram aqui, nesta mesma sala, e ela esteve diante deles, Melanie, que mal chega até o seu ombro. Desiguais, como negar?

"Eu acho que concordo com a doutora Rassool", diz a administradora. "A menos que o professor Lurie queira acrescentar alguma coisa, acho que devemos tomar uma decisão."

"Antes disso, senhor presidente", diz Swarts, "eu gostaria de insistir com o professor Lurie uma última vez. Ele estaria disposto a assinar algum tipo de declaração?"

"Por quê? Por que é tão importante eu assinar uma declaração?"

"Porque poderia ajudar a esfriar uma situação que ficou muito explosiva. O ideal teria sido resolvermos essa questão longe dos olhos da mídia. Mas não foi possível. O caso chamou muita atenção, adquirindo certos aspectos que fogem ao nosso controle. Todos os olhos estão voltados para a universidade para ver como lidamos com isto. Ouvindo você, David, tenho a impressão de que acha injusto o jeito como está sendo tratado. É um equívoco da sua parte. Nós, deste comitê, consideramos nosso dever encontrar uma solução que permita que você mantenha o seu emprego. Por isso eu pergunto se não haveria alguma forma de declaração pública que não violentasse você e que nos permitisse recomendar alguma coisa que não a pena mais severa, ou seja, a exoneração com censura."

"Você quer dizer eu me humilhar e pedir clemência?"

Swarts dá um suspiro. "David, não adianta nada mostrar os dentes para o nosso esforço. Pelo menos, aceite um adiamento, para você poder pensar melhor na sua posição."

"O que você quer que conste da declaração?"

"Que você admita que estava errado."

"Já admiti isso. De livre e espontânea vontade. Sou culpado das acusações que foram feitas contra mim."

"Não brinque conosco, David. Existe uma diferença entre se declarar culpado de uma acusação e admitir que estava errado, e você sabe disso."

"E vocês vão se satisfazer com isso, com uma admissão de que eu estava errado?"

"Não", diz Farodia Rassool. "Isso está invertido. *Primeiro* o professor Lurie tem de fazer sua declaração. *Depois* nós decidimos se aceitamos essa declaração como atenuante. Não negociamos antecipadamente o que deve conter essa declaração. A declaração deve partir dele, com suas próprias palavras. Depois podemos julgar se é sincera."

"E você se considera capaz de adivinhar, a partir das palavras que eu usar, de adivinhar se estou sendo sincero?"

"Veremos que atitude vai apresentar. Veremos se o senhor demonstra arrependimento."

"Muito bem. Eu me aproveitei de minha posição em relação à senhorita Isaacs. Foi errado e lamento. Isso basta para você?"

"A questão não é saber se basta para mim, professor Lurie, a questão é se basta para *o senhor*. Isso reflete os seus sentimentos sinceros?"

Ele sacode a cabeça. "Eu disse as palavras, mas agora você quer mais, quer que eu demonstre a sinceridade delas. Isto é ridículo. Fica acima do alcance da lei. Para mim basta. Vamos seguir as regras. Eu me declaro culpado. É até aí que eu vou."

"Certo", diz Mathabane de sua cadeira. "Se não há mais perguntas para o professor Lurie, vou agradecer a sua presença e dispensá-lo."

De início, não o reconhecem. Ele está na metade da escada quando ouve um grito *É ele!*, seguido do ruído de pés correndo.

No pé da escada se vê cercado; alguém chega a agarrar seu paletó para detê-lo.

"Pode falar um minuto conosco, professor Lurie?", diz uma voz.

Ele ignora, forçando a passagem pelo saguão lotado, onde as pessoas se viram para olhar o homem alto que foge dos perseguidores.

Alguém se põe na frente dele. "Espera aí!", ela diz. Ele vira o rosto, estende uma mão. Um flash.

Uma garota circula em torno dele. O cabelo, trançado com contas de âmbar, desce liso de ambos os lados do rosto. Ela sorri, mostrando dentes brancos e uniformes. "Não dá para parar e falar?", pergunta.

"Do quê?"

Um gravador é colocado na sua frente. Ele o empurra.

"Conte como foi", a moça fala.

"Como foi o quê?"

Outro flash da câmera.

"A audiência."

"Não posso falar disso."

"Tudo bem, do que o senhor pode falar?"

"Nada, não quero falar nada."

Transeuntes e curiosos começaram a se juntar em volta dele. Se quiser ir embora, terá de forçar a passagem entre eles.

"Está arrependido?", pergunta a moça. Aproxima o gravador. "Está arrependido do que fez?"

"Não", ele diz. "Foi uma experiência enriquecedora."

O sorriso continua no rosto da moça. "Então faria tudo de novo?"

"Acho que não vou ter outra oportunidade."

"Mas se tivesse a chance?"

"Isso não é uma pergunta."

Ela quer mais, mais palavras para a barriga da maquininha, mas no momento fica perdida, sem saber como arrancar dele outras indiscrições.

"Foi uma experiência o quê?", ele ouve alguém perguntar *sotto voce*.

"Enriquecedora."

Um risinho.

"Pergunte se ele vai pedir desculpas", alguém fala para a moça.

"Já perguntei."

Confissões, desculpas: por que essa sede de humilhação?

Faz-se um silêncio. Circulam à sua volta como caçadores que encurralaram um animal estranho e não sabem como acabar com ele.

A fotografia aparece no jornal dos estudantes no dia seguinte, com a legenda "Quem é o burro agora?". Mostra-o de olhos voltados para o céu, levantando uma mão para a câmera. A pose é ridícula em si, mas o que faz da foto uma preciosidade é o cesto de lixo invertido que um jovem, de sorriso aberto, segura acima dele. Por um efeito de perspectiva, o cesto parece estar em sua cabeça, como um chapéu de burro. Diante de uma imagem dessas, o que lhe resta?

"Comissão silencia veredicto", é a manchete. "A comissão disciplinar que investiga as acusações de assédio e má conduta contra o professor de Comunicações David Lurie não revelou seu veredicto ontem. O presidente Manas Mathabane disse apenas que as conclusões foram encaminhadas ao reitor para as devidas providências.

"Duelando verbalmente com membros da associação WAR depois da audiência, Lurie (53) disse que suas experiências com alunas foram 'enriquecedoras'.

"O problema todo começou quando Lurie, especialista em poesia romântica, foi denunciado por alunas de seus cursos."

Em casa, ele recebe um telefonema de Mathabane. "A comissão encaminhou a recomendação, David, e o reitor me pediu para falar com você uma última vez. Disse que está disposto a não tomar nenhuma medida extrema, contanto que você dê uma declaração pessoal que seja satisfatória tanto do nosso ponto de vista como do seu."

"Manas, já falamos disso. Eu..."

"Espere. Escute até o fim. Tenho aqui na minha frente o rascunho de uma declaração que satisfaria as nossas exigências. É bem curto. Posso ler para você?"

"Leia."

Mathabane lê: "Admito sem reservas os sérios abusos aos direitos humanos da reclamante, além do abuso à autoridade em mim investida pela Universidade. Peço sinceras desculpas a ambas as partes e aceito quaisquer penalidades que me sejam impostas".

"'Quaisquer penalidades': o que quer dizer isso?"

"No meu entender, quer dizer que você não vai ser despedido. Muito provavelmente, vão pedir que você tire uma licença. Voltar às suas obrigações de professor vai depender inteiramente de você e da decisão do nosso reitor e do chefe de departamento."

"É isso? Nada mais?"

"No meu entender. Se você assinar a declaração, que fará as vezes de um pedido de mitigação, o reitor estará disposto a aceitar a declaração com esse espírito."

"Que espírito?"

"Espírito de arrependimento."

"Manas, já falamos dessa história de arrependimento ontem. Já disse o que eu penso. Não vou fazer uma coisa dessas. Compareci perante um tribunal oficialmente constituído, perante um braço da lei. Perante esse tribunal secular, me declarei culpado, uma declaração secular. Essa declaração deveria bastar. Arrependimento não tem nada a ver nem com uma coisa, nem com outra. Arrependimento pertence a outro mundo, a outro universo de discurso."

"Você está confundindo as coisas, David. Ninguém está instruindo você a se arrepender. O que acontece na sua alma é invisível para nós, como membros do que você chama de conselho secular, senão como seres humanos seus próximos. O que está se pedindo é que você dê uma declaração."

"Estão me pedindo para pedir desculpas que podem não ser sinceras?"

"O critério não é a sua sinceridade. Isso é uma questão, como eu já disse, sua com a sua consciência. O critério aqui é você estar preparado para admitir seu erro publicamente e dar os passos devidos para remediar essa situação."

"Agora estamos realmente falando no vazio. Vocês me acusaram, e eu me declarei culpado das acusações. É só isso que precisam de mim."

"Não. Queremos mais. Não muito mais, porém mais. Espero que você entenda isso com clareza para nos dar o que queremos."

"Desculpe, não posso."

"David, não posso continuar protegendo você de si mesmo. Estou cansado disso, e o resto da comissão também. Quer algum tempo para repensar?"

"Não."

"Tudo bem. Então só posso dizer que o reitor entrará em contato com você."

7.

Depois de resolver ir embora, nada mais pode detê-lo. Esvazia a geladeira, tranca a casa, e ao meio-dia está na estrada. Uma parada em Oudtshoorn, uma partida ao amanhecer: no meio da manhã está chegando ao destino, a cidade de Salem na estrada Grahamstown-Kenton no Cabo Leste.

A pequena propriedade de sua filha fica no fim de uma trilha de terra sinuosa, alguns quilômetros distante da cidade: cinco hectares de terra, a maior parte arável, uma bomba movida a vento, estábulos e outras construções, e uma casa de fazenda esparramada, baixa, pintada de amarelo, com teto de ferro galvanizado e uma varanda coberta. A frente tem uma cerca de arame e touceiras de nastúrcios e gerânios; o resto da frente é de terra e cascalho.

Há uma velha kombi parada no caminho de entrada; ele estaciona atrás. Lucy sai da sombra da varanda para a luz do sol. Por um momento, ele não a reconhece. Passou-se um ano, e ela ganhou peso. Seus lábios e seios estão agora (ele procura a melhor palavra) amplos. Confortavelmente descalça, ela vem cumprimentá-lo, com os braços abertos, abraça-o, beija-o no rosto.

Que boa menina, pensa, enquanto a abraça; que bela recepção ao fim de uma longa viagem!

A casa, que é grande, escura e, mesmo ao meio-dia, gelada, data do tempo das famílias grandes, dos hóspedes que chegavam às carradas. Seis anos antes, Lucy foi morar ali como membro de uma comunidade, uma tribo de jovens que vendia artigos de couro, cozia cerâmica em Grahamstown e, entre uma colheita e outra de milho, plantava maconha. Quando a comunidade acabou, a turma se mudou para New Bethesda e Lucy ficou ali com sua amiga Helen. Tinha se apaixonado pelo lugar, dizia; queria cuidar da terra do jeito certo. Ele ajudou a comprar a propriedade. Agora ali está ela, de vestido florido, pés descalços e tudo, numa casa cheirando a assado, não mais uma menina brincando de fazendeira, mas uma sólida camponesa, uma *boervrou*.

"Você vai ficar no quarto da Helen", disse ela. "Pega o sol da manhã. Não faz ideia de como as manhãs estão frias este inverno."

"Como vai a Helen?", ele pergunta. Helen é uma mulher grande, de ar tristonho, voz grave e pele ruim, mais velha que Lucy. Ele nunca entendeu o que Lucy via nela; reservadamente, desejava que Lucy encontrasse ou fosse encontrada por alguém melhor.

"Helen voltou para Johannesburgo em abril. Estou sozinha, só com os ajudantes."

"Você não me contou nada disso. Não fica nervosa sozinha?"

Lucy dá de ombros. "Tem os cachorros. Os cachorros já são alguma coisa. Quanto mais cachorros, mais proteção. Mas seja como for, se alguém resolver entrar, não acho que estar em duas seja melhor do que uma."

"Muito filosófico."

"É. Quando o resto falha, filosofe."

"Mas você tem uma arma."

"Tenho um rifle. Vou mostrar. Comprei de um vizinho. Nunca usei, mas tenho."

"Bom. Uma filósofa armada. Eu acho bom."

Cachorros e uma arma; pão no forno e uma plantação na terra. Engraçado que ele e a mãe dela, urbanos, intelectuais, tivessem produzido esse retrocesso, essa sólida colona. Mas talvez não tenham sido eles que a produziram: talvez a história tenha um papel maior.

Ela lhe oferece chá. Ele está com fome, devora duas enormes fatias de pão com geleia de pera picante, também feita em casa. Sente o olhar dela enquanto come. Tem de ser cuidadoso: nada mais desagradável para um filho do que o funcionamento corpóreo de um pai.

As unhas dela não são nada limpas. Sujeira de campo, honrada, talvez.

Ele desfaz a mala no quarto de Helen. As gavetas estão vazias; no imenso guarda-roupa só um avental azul pendurado. Se Helen está fora, não é por pouco tempo.

Lucy o leva para passear pela propriedade. Fala de não desperdiçar água, de não contaminar a fossa séptica. Ele sabe a lição, mas escuta comportado. Ela lhe mostra o hotel para cães. Da última vez que esteve ali havia apenas um compartimento. Agora são cinco, sólidos, com base de concreto, postes e barras galvanizados, e tela resistente, à sombra de eucaliptos novos. Os cachorros ficam excitados com ela: dobermans, pastores alemães, ridgebacks, bull terriers, rottweilers. "Todos cães de guarda", ela diz. "Cães de trabalho, estadias curtas — duas semanas, uma semana, às vezes só um fim de semana. Os de estimação vêm mais durante as férias de verão."

"E gatos? Você não recebe gatos?"

"Não ria. Mas estou pensando em abrir para gatos também. Só não tenho ainda as instalações."

"Ainda tem a sua banca no mercado?"

"Tenho. Sábado de manhã. Você vai comigo."

É assim que ela ganha a vida: com os canis e vendendo flores e produtos de jardim. Nada mais simples.

"Os cachorros não ficam entediados?" Aponta um deles, uma cadela buldogue bege com uma divisão só para ela, a cabeça pousada nas patas, olhando morosamente para eles, sem se dar ao trabalho nem de levantar.

"Katy? Ela foi abandonada. Os donos sumiram. Meses de contas sem pagar. Não sei o que vou fazer com ela. Achar alguém que queira, talvez. Ela está triste, mas está bem. Levo para passear todo dia, fazer exercício. Eu ou o Petrus. Faz parte do trabalho."

"Petrus?"

"Você vai conhecer. Petrus é o meu novo assistente. Na verdade, desde março ele é meu sócio. Um cara e tanto."

Ele passeia ao lado dela pela represa de barro, onde uma família de patos nada serenamente, pelas colmeias e pelo jardim: canteiros de flores e vegetais de inverno — couve-flor, batata, beterraba, acelga, cebola. Visitam a bomba de água e o reservatório no limite da propriedade. A chuva nos últimos dois anos foi boa, o nível da água está alto.

Ela fala dessas coisas com facilidade. Uma fazendeira da nova geração. Antigamente, gato e milho. Hoje, cães e narcisos. Quanto mais as coisas mudam, mais continuam as mesmas. A história se repete, embora em filão mais modesto. Talvez a história tenha aprendido uma lição.

Passeiam pelo canal de irrigação. Os dedos dos pés descalços de Lucy agarram a terra, deixando pegadas nítidas. Uma mulher sólida, cravada em sua nova vida. Bom! Se é isso que ele vai deixar — essa filha, essa mulher —, então não tem do que se envergonhar.

"Não precisa ficar cuidando de mim", ele diz, quando voltam para a casa. "Trouxe meus livros. Só preciso de uma mesa e uma cadeira."

"Está trabalhando em alguma coisa?", ela pergunta, cautelosa. O trabalho dele não é um tema frequente de suas conversas.

"Tenho planos. Alguma coisa sobre os últimos anos de Byron. Não um livro, ou pelo menos não o tipo de livro que escrevi antes. Alguma coisa para o palco, talvez. Letra e música. Personagens falando e cantando."

"Não sabia que você ainda tinha essas ambições."

"Achei que podia me permitir isso. Mas tem mais alguma coisa. A gente sempre quer deixar alguma coisa. Ou, pelo menos, um homem sempre quer deixar alguma coisa. Para a mulher é mais fácil."

"Por que é mais fácil para a mulher?"

"Mais fácil, eu digo, produzir alguma coisa com vida própria."

"Ser pai não conta?"

"Ser pai... O que eu sinto é que, comparado a ser mãe, ser pai é uma coisa abstrata demais. Mas vamos esperar e ver o que acontece. Se sair alguma coisa, você vai ser a primeira a saber. A primeira e provavelmente a última."

"Vai escrever a música você mesmo?"

"A música eu vou tomar emprestada, na maior parte. Não tenho o menor escrúpulo de tomar emprestado. No começo, achei que era um assunto que exigia grandes orquestrações. Tipo Strauss, talvez. O que estaria além das minhas forças. Agora, estou pendendo para o lado oposto, para um acompanhamento bem econômico — violino, violoncelo, oboé ou talvez um fagote. Mas está tudo ainda no campo das ideias. Não escrevi nem uma nota — andei ocupado. Você deve ter ouvido falar dos meus problemas."

"Roz falou alguma coisa no telefone."

"Bem, não vamos falar disso agora. Depois."

"Largou a universidade para sempre?"

"Me demiti. Fui convidado a me demitir."

"Vai sentir falta?"

"Se vou sentir falta? Não sei. Não era grande coisa como professor. Estava cada vez me relacionando menos, acho, com os alunos. O que eu tinha para dizer eles não estavam interessados em escutar. Então talvez não sinta falta. Talvez eu venha a gostar da exoneração."

Um homem para na porta, um homem alto de macacão azul, botas de borracha e gorro de lã. "Petrus, entre, venha conhecer meu pai", Lucy diz.

Petrus limpa as botas. Apertam-se as mãos. Um rosto marcado, enrugado; olhos inteligentes. Quarenta? Quarenta e cinco?

Petrus olha para Lucy. "O nebulizador", ele diz. "Vim buscar o nebulizador."

"Está na kombi. Espere aqui. Eu pego."

Ele fica com Petrus. "Você cuida dos cachorros", diz, para quebrar o silêncio.

"Cuido dos cachorros e trabalho no jardim. É." Petrus abre um grande sorriso. "Sou jardineiro e cachorreiro." Pensa um pouco. "Cachorreiro", repete, saboreando a palavra.

"Eu acabei de chegar da Cidade do Cabo. Às vezes, fico preocupado com a minha filha sozinha aqui. É muito isolado."

"É", Petrus diz, "é perigoso." Faz uma pausa. "Hoje em dia, tudo é perigoso. Mas aqui é legal, acho." E dá outro sorriso.

Lucy volta com um frasco. "Sabe a medida: uma colher de chá para dez litros de água."

"Eu sei." E Petrus inclina a cabeça para passar pela porta baixa.

"Parece bom, o Petrus", ele observa.

"Tem a cabeça no lugar."

"Mora aqui?"

"Ele e a mulher estão no estábulo velho. Puxei eletricidade. É bem confortável. Ele tem outra mulher em Adelaide, e filhos, alguns já grandes. De vez em quando, vai passar algum tempo lá."

Ele deixa Lucy com as suas tarefas e vai dar um passeio a pé até a estrada de Kenton. Dia frio de inverno, o sol já deitando atrás das montanhas vermelhas, malhadas de grama esparsa, descolorida. Terra pobre, solo pobre, ele pensa. Esgotada. Boa só para cabritos. Será que Lucy pretende passar a vida aqui? Ele espera que seja só uma fase.

Um grupo de crianças passa por ele, saídas da escola a caminho de casa. Ele cumprimenta; elas respondem a saudação. Costume rural. A Cidade do Cabo já vai ficando no passado.

Sem avisar, volta uma lembrança da garota: de seus lindos seiozinhos de bicos arrebitados, da barriga dura e lisa. Um arrepio de desejo percorre seu corpo. Evidentemente, seja o que for, ainda não acabou.

Ele volta para a casa e termina de desfazer a mala. Há muito tempo não mora com uma mulher. Vai ter de se cuidar; vai ter de ser organizado.

Grande é uma palavra generosa para Lucy. Ela logo será definitivamente gorda. Abandonada, como acontece quando alguém se retira do campo do amor. *Qu'est devenu ce front poli, ces cheveux blonds, sourcils voûtés?*

O jantar é simples: sopa e pão, depois batata-doce. Ele, em geral, não gosta de batata-doce, mas Lucy prepara uma coisa com casca de limão, manteiga e pimenta-da-jamaica que as torna palatáveis, mais que palatáveis.

"Vai ficar um pouco?", ela pergunta.

"Uma semana? O que acha, uma semana? Você me aguenta mais do que isso?"

"Pode ficar quanto quiser. Só tenho medo de você se encher."

"Não vou me encher."

"E depois de uma semana, vai para onde?"

"Ainda não sei. Talvez viaje sem rumo. Por bastante tempo."

"Bem, fique quanto quiser."

"Bondade sua dizer isso, filha, mas quero preservar seu carinho. Visitas longas não rendem bons amigos."

"E se você não considerar como visita? Vamos chamar de refúgio. Não aceitaria refúgio por tempo indeterminado?"

"Asilo, você quer dizer? Não chega a esse ponto, Lucy. Não sou fugitivo."

"Roz disse que a coisa estava muito feia."

"Fui eu mesmo que provoquei. Ofereceram um acordo, eu recusei."

"Que acordo?"

"Reeducação. Reforma de personalidade. A palavra-chave é *aconselhamento*."

"E você é tão perfeito que pode dispensar um pouquinho de aconselhamento?"

"Faz me lembrar, muito, a China de Mao. Retratação, autocrítica, desculpas públicas. Sou antiquado, prefiro simplesmente ser posto contra a parede e fuzilado. Acabar de uma vez."

"Fuzilado? Por ter tido um caso com uma estudante? Meio radical, não acha, David? Deve acontecer o tempo todo. Acontecia quando eu era estudante. Se eles processassem todos os casos a profissão acabava."

Ele dá de ombros. "Estamos vivendo tempos puritanos. A vida privada é assunto público. A libido é digna de consideração, a libido e o sentimento. Eles querem espetáculo: bater no peito, mostrar remorso, lágrimas se possível. Um show de televisão, na verdade. Eu não concordei."

Ele ia acrescentar: "A verdade é que queriam me castrar", mas não conseguiu dizer a palavra, não para sua filha. Agora, na verdade, ao ouvir a história com os ouvidos de outrem, toda a sua tirada parece melodramática, excessiva.

"Então você fincou pé e eles também. Foi isso?"

"Mais ou menos."

"Você não devia ser tão rígido. Não é nada heroico ser rígido. Ainda está em tempo de voltar atrás?"

"Não, a sentença é definitiva."

"Sem apelação?"

"Sem apelação. Não estou me queixando. É impossível alguém se declarar culpado de atos de torpeza e esperar uma maré de apoio em troca. Não depois de uma certa idade. Depois de uma certa idade a gente simplesmente não é mais atraente, e ponto final. É se conformar e viver o resto da vida. Cumprir o mandato."

"Bom, acho uma pena. Fique o tempo que quiser. Pela razão que for."

Ele vai se deitar cedo. No meio da noite, é acordado por latidos. Um cachorro em particular late insistentemente, sem parar; os outros acompanham, se aquietam, depois, para não se dar por vencidos, acompanham de novo.

"Isso acontece toda noite?", ele pergunta a Lucy, de manhã.

"A gente acostuma. Desculpe."

Ele sacode a cabeça.

8.

Ele havia se esquecido de como as manhãs podem ser frias no norte do Cabo Leste. Não trouxe roupa adequada, tem de pedir um suéter a Lucy.

De mãos nos bolsos, passeia entre os canteiros. Fora do campo de visão, um carro passa na estrada de Kenton, o som demora no ar parado. Gansos voam em formação no céu. Como vai preencher o tempo?

"Quer dar um passeio?", Lucy pergunta, atrás dele.

Levam três cachorros com eles: dois dobermans novinhos, que Lucy mantém nas guias, e a cadela buldogue, a abandonada.

Colando as orelhas para trás, a cadela tenta defecar. Não sai nada.

"Ela está com problemas", Lucy diz. "Vou ter de medicar."

A cadela continua tentando, a língua pendurada para fora, olhando em volta como se tivesse vergonha de ser observada.

Saem da estrada, caminhando por um bosque de arbustos, depois por uma floresta de pinheiros esparsos.

"A menina com quem você se envolveu", Lucy pergunta, "era sério?"

"Rosalind não contou a história?"

"Não com detalhes."

"Ela é daqui desta região. De George. Estava em um dos meus cursos. Como estudante, mediana, mas muito bonita. Se era sério? Não sei. As consequências foram sérias."

"Mas acabou agora? Ou você ainda pensa nela?"

Acabou? Ele ainda pensa? "Nosso contato acabou", ele diz.

"Por que ela denunciou você?"

"Ela não me contou; eu não tive chance de perguntar. Ela estava numa posição difícil. Com um rapaz, um namorado, ou ex-namorado, pressionando. A convivência em classe era penosa. E os pais dela ficaram sabendo e baixaram na Cidade do Cabo. A pressão foi demais, acho."

"E tinha você também."

"É, tinha eu. Acho que não deve ter sido fácil."

Chegam a um portão com uma placa que diz "Indústrias SAPPI — Entrada proibida". Voltam.

"Bom", Lucy diz, "você pagou o preço. Talvez, pensando bem, ela não guarde ressentimentos. É surpreendente como as mulheres são inclinadas a perdoar."

Um silêncio. Será que Lucy, sua filha, está pretendendo lhe dar uma lição sobre as mulheres?

"Você já pensou em casar de novo?", Lucy pergunta.

"Com alguém da minha geração, você quer dizer? Eu não sou de casamento, Lucy. Você sabe disso."

"Sei. Mas..."

"Mas o quê? Mas é indecente atacar criancinhas?"

"Não disse isso. Só que está ficando mais difícil para você, não mais fácil, à medida que o tempo passa."

Nunca antes ele e Lucy falaram sobre sua vida íntima. E

não está sendo fácil. Mas se não com ela, com quem ele vai falar?

"Lembra de Blake?", ele diz. "'Melhor matar um bebê no berço que aninhar desejos não manifestos'?"

"Por que está citando isso para mim?"

"Desejos não manifestos são tão perigosos num velho como num jovem."

"Daí?"

"Toda mulher de quem me aproximei me ensinou alguma coisa sobre mim mesmo. Foi assim que elas me fizeram uma pessoa melhor."

"Espero que não esteja dizendo que a recíproca é verdadeira. Que conhecer você fez das suas mulheres pessoas melhores."

Ele olha enviesado para ela. Ela sorri. "Brincadeira", diz.

Voltam pela estrada de asfalto. Na entrada para a propriedade há uma placa que ele não tinha notado antes: "FLORES. CICADÁCEAS", com uma flecha: "1 KM".

"Cicadáceas?", ele pergunta. "Pensei que fosse proibido vender cicadáceas."

"É proibido colher as silvestres. Eu cultivo com semente. Você vai ver."

Continuam caminhando, os cachorros forçando para se soltar, a cadela andando devagar atrás, ofegante.

"E você? É isso que você quer da vida?" Com um gesto, ele indica o jardim, a casa com o telhado rebrilhando ao sol.

"Resolve", Lucy responde, sossegada.

É sábado, dia de mercado. Lucy o acorda às cinco, como combinado, com um café. Protegidos contra o frio, encontram Petrus no jardim, onde está cortando flores à luz de uma lanterna halógena.

Ele se oferece para ajudar, mas seus dedos logo ficam tão frios que não consegue amarrar os buquês. Devolve os barbantes para Petrus e fica embrulhando, empacotando.

Às sete, com o amanhecer tocando as montanhas e os cachorros começando a se agitar, o trabalho está terminado. A kombi está carregada com caixas de flores, sacos de batata, cebola, repolho. Lucy vai dirigindo, Petrus fica atrás. O aquecedor não funciona; com as janelas embaçadas ela pega a estrada de Grahamstown. Ele vai ao seu lado, comendo os sanduíches que ela fez. Sente o nariz pingando; espera que ela não note.

Então: uma nova aventura. Sua filha, que um dia ele costumava levar para a escola e para as aulas de balé, ao circo e ao rinque de patinação, agora o leva a passear, mostrando-lhe a vida, mostrando-lhe este outro mundo, desconhecido.

Na praça Donkin os feirantes já estão instalando suas barracas e arrumando seus artigos. Há um cheiro de carne queimando. Uma névoa gelada paira sobre a cidade; as pessoas esfregam as mãos, batem os pés, xingam. Há uma encenação de bonomia da qual Lucy se mantém à parte, para alívio dele.

Eles estão no que parece ser o setor de produtores. À esquerda, três mulheres africanas com leite, *masa* e manteiga para vender; e também, dentro de um balde coberto com um pano molhado, ossos para sopa. À direita, um velho casal africânder que Lucy cumprimenta chamando de tia e tio, *Tante* Miems e *Oom* Koos, e um pequeno assistente que não deve ter mais de dez anos, com um boné de lã na cabeça. Assim como Lucy, eles vendem batatas e cebolas, mas também geleia, conservas, frutas secas, pacotes de chá buchu, mel silvestre, ervas.

Lucy trouxe dois banquinhos de lona. Eles tomam café da garrafa térmica, esperam os primeiros clientes.

Duas semanas atrás, ele estava na sala de aula, explicando à entediada juventude do país a distinção entre *bebia* e *bebeu*, entre *queimava* e *queimou*. O aspecto do verbo alterando a ação. Como isso tudo parece distante! Vivo, vivia, vivi.

As batatas de Lucy, jogadas dentro de um cesto, foram lavadas. As de Koos e Miem ainda estão manchadas de terra. Ao longo da manhã, Lucy ganha quase quinhentos rands. Suas flores vendem bem; às onze horas, ela baixa os preços e acaba o resto dos produtos. Na barraca de leite e carne o comércio também é bom; mas o casal de velhos, sentados lado a lado, duros e sérios, não se dão tão bem.

Muitos clientes de Lucy a conhecem pelo nome: senhoras de meia-idade, a maior parte, com um toque de altivez no trato com ela, como se o sucesso dela lhes pertencesse também. E ela o apresenta a cada uma delas: "Este é meu pai, David Lurie, que veio da Cidade do Cabo me visitar". Deve ter muito orgulho de sua filha, senhor Lurie", elas dizem. "É, tenho, sim", ele responde.

"Bev cuida do refúgio de animais", Lucy diz depois de uma dessas apresentações. "Eu dou uma força às vezes. Vamos passar na casa dela na volta, se você quiser."

Ele não foi com a cara de Bev Shaw, uma mulherzinha atarracada, agitada, com sardas pretas, cabelo duro, cortado curto, e sem pescoço. Não gosta de mulheres que não fazem nenhum esforço para ficar bonitas. É uma resistência que já sentiu antes com as amigas de Lucy. Nada de que se orgulhar: um preconceito que se aferrou nele, criou raízes. Sua cabeça se transformou em um refúgio de pensamentos velhos, preguiçosos, indigentes, que não têm mais para onde ir. Devia livrar-se deles, varrer tudo. Mas não se dá ao trabalho, ou não se importa mais.

A Liga pelo Bem-estar dos Animais, antes uma ativa entidade beneficente de Grahamstown, tivera de encerrar suas atividades. Porém, um punhado de voluntários, liderado por Bev Shaw, ainda mantém uma clínica no antigo endereço.

Ele não tem nada contra os amantes de animais com que Lucy sempre esteve envolvida, desde sempre. O mundo sem dúvida seria um lugar pior sem eles. Assim, quando Bev Shaw abre a porta ele faz uma cara boa, embora de fato sinta repulsa pelos cheiros de urina de gato, sarna de cachorro e Líquido de Jeyes com que são recepcionados.

A casa é exatamente como ele havia imaginado: mobília caindo aos pedaços, um monte de enfeites (pastoras de porcelana, cincerros de vaca, um abanador de mosca de pluma de avestruz), o grasnar do rádio, o canto dos pássaros engaiolados, gatos no chão por toda parte. Lá estão não apenas Bev Shaw, mas Bill Shaw também, igualmente atarracado, bebendo chá na mesa da cozinha, com uma cara vermelho-beterraba, cabelo grisalho e um suéter de gola mole. "Sente, sente, Dave", Bill diz. "Tome uma xícara, sinta-se em casa."

Foi uma longa manhã, ele está cansado, a última coisa que quer é bater papo com essa gente. Dá uma olhada para Lucy. "Não vamos demorar, Bill", ela diz, "só vim pegar uns remédios."

Pela janela, ele vê o quintal dos Shaw: uma macieira caindo de frutas bichadas, parasitas viçosas, uma área cercada com placas de ferro galvanizado, ferramentas de madeira, pneus velhos, onde ciscam galinhas e, num canto, uma coisa que parece muito um antílope duiker tirando uma soneca.

"O que você achou?", Lucy pergunta depois, no carro.

"Não quero ser rude. Deve ser uma subcultura específica, claro. Eles têm filhos?"

"Não, não têm. Não subestime Bev. Ela não é nenhuma boba. Pratica o bem, muito. Faz anos que visita a Aldeia D, primeiro para a Liga de Bem-estar, agora por conta própria."

"Deve ser uma batalha perdida."

"É mesmo. Não tem mais verba. Na lista de prioridades do país, não tem lugar para os animais."

"Ela deve ficar desanimada. Você também."

"Sim. E não. E daí? Os bichos que ela ajuda não ficam nada desanimados. Ficam muito aliviados."

"Então, ótimo. Desculpe, filha, mas acho difícil me interessar pelo assunto. É admirável o que você faz, o que ela faz, mas para mim quem cuida do bem-estar dos animais é um pouco como um certo tipo de cristão. É todo mundo tão alegre e bem-intencionado que depois de algum tempo você fica com vontade de sair por aí estuprando e pilhando um pouco. Ou chutando gatos."

Ele se surpreende com a própria explosão. Não está mal-humorado, nem um pouco.

"Acha que eu devia me ocupar com coisas mais importantes", Lucy diz. Estão na estrada agora; ela dirige sem olhar para ele. "Acha que, como sou sua filha, devia aproveitar melhor a minha vida."

Ele já está sacudindo a cabeça: "Não... não... não", murmura.

"Acha que eu devia pintar naturezas-mortas ou aprender sozinha a falar russo. Não aprova amigos como Bev e Bill Shaw porque não vão me ajudar a levar uma vida elevada."

"Não é verdade, Lucy."

"Claro que é verdade. Eles não vão me ajudar a levar uma vida mais elevada, e sabe por quê? Porque não existe nenhuma vida elevada. A única vida que existe é esta aqui. Que a gente reparte com os animais. É esse o exemplo que gente como a Bev quer dar. O exemplo que eu tento seguir. Repartir alguns dos nossos privilégios humanos com os bichos. Não quero voltar numa outra vida como cachorro ou como porco para viver como os cachorros e porcos vivem com a gente agora."

"Lucy, minha filha, não fique zangada. Está bem, eu concordo que só existe esta vida. Quanto aos animais, claro, vamos ser bons com eles. Mas não vamos perder a proporção das coisas. Na criação nós somos de uma ordem diferente dos animais. Não necessariamente superior, mas diferente. Portanto, se vamos ser bons, que seja por simples generosidade, não porque nos sentimos culpados ou temos medo da vingança."

Lucy respira fundo. Parece prestes a responder ao sermão, mas cala-se. Chegam à casa em silêncio.

9.

Ele está sentado na sala da frente, assistindo futebol na televisão. O placar é zero a zero; nenhum dos dois times parece interessado em ganhar.

O comentário se alterna em sotho e xhosa, línguas de que não entende nem uma palavra. Abaixa o som até ficar só um murmúrio. Sábado à tarde na África do Sul: tempo consagrado aos homens e seus prazeres. Ele cochila.

Quando acorda, Petrus está a seu lado no sofá, com uma garrafa de cerveja na mão. Colocou o volume mais alto.

"Bushbucks", diz Petrus. "Meu time. Bushbucks e Sundowns."

O Sundowns chuta um escanteio. Forma-se uma confusão na boca do gol. Petrus grunhe e agarra a cabeça. Quando a poeira abaixa, o goleiro do Bushbucks está no chão, com a bola debaixo do peito. "Esse é bom! Esse é bom!", Petrus diz. "Esse goleiro é bom. Têm de ficar com ele."

O jogo termina sem gols. Petrus muda de canal. Boxe: dois homens minúsculos, tão minúsculos que mal chegam até o peito do juiz, girando, saltitando, se provocando.

Ele se levanta, passeia pelos fundos da casa. Lucy está deitada na cama, lendo. "O que está lendo?", pergunta. Ela olha para ele, intrigada, e tira os tampões dos ouvidos. "O que você está lendo?", ele repete; e continua: "Não está dando certo, não é? Quer que eu vá embora?".

Ela sorri, coloca de lado o livro. *O mistério de Edwin Drood*: não é o que ele esperava. "Sente aqui", ela diz.

Ele se senta na cama, acaricia o pé dela, descalço. Um bom pé, bonito. Boa estrutura, como a mãe dela. Uma mulher na flor da idade, atraente apesar do peso, apesar das roupas sem graça.

"Do meu ponto de vista, David, está dando muito certo. Estou contente de você estar aqui. Leva um tempo para se adaptar ao ritmo da vida rural, só isso. Quando encontrar coisas para fazer, não vai ficar tão entediado."

Ele concorda, ausente. Bonita, ele está pensando, e inacessível aos homens. Será que ele deve se censurar por isso, ou seria assim de qualquer jeito? Desde o dia em que sua filha nasceu, sentiu por ela o mais espontâneo, o mais copioso amor. Impossível que ela não saiba disso. Terá sido demasiado, esse amor? Terá sido um fardo? Terá pesado para ela? Será que interpretou de outra maneira, mais sombria?

Ele imagina como Lucy é com as amantes, como são as amantes com ela. Ele nunca teve medo de ir até o fim com uma ideia, não vai ter medo agora. Terá criado uma mulher de paixões? Como será ela, como não será, no terreno dos sentidos? Serão, ele e ela, capazes de conversar sobre isso também? Lucy não levou uma vida preservada. Por que não serem abertos um com o outro, por que definir limites, quando ninguém mais faz isso?

"Quando eu encontrar coisas para fazer", ele diz, voltando do devaneio. "O que você sugere?"

"Podia ajudar com os cachorros. Podia cortar a carne para eles. É uma coisa que sempre acho difícil de fazer. E tem o Petrus. Ele está bem ocupado cuidando da terra dele. Você podia ajudar."

"Ajudar Petrus. Gostei disso. Tem um tempero histórico. E ele vai me pagar pelo meu trabalho, você acha?"

"Pergunte para ele. Acho que sim. Acabou de ganhar uma verba do Departamento da Terra, o suficiente para comprar de mim um pouco mais de um hectare. Eu não contei? O limite é a represa. A gente reparte a represa. Dali até a cerca é tudo dele. Ele tem uma vaca que vai parir na primavera. Tem duas mulheres, ou uma mulher e uma namorada. Se fizer as coisas direito consegue mais uma verba para construir uma casa; daí vai poder mudar do estábulo. Pelos padrões de Cabo Leste é um homem de posses. Peça para ele te pagar. Dinheiro para isso ele tem. Não sei é se *eu* tenho dinheiro para continuar com ele."

"Tudo bem, eu cuido da carne dos cachorros. Vou me oferecer para roçar para Petrus. Que mais?"

"Pode ajudar na clínica. Estão desesperados atrás de voluntários."

"Ajudar Bev Shaw."

"É."

"Não acho que a gente vá combinar, ela e eu."

"Não precisa combinar com ela. Só tem de ajudar. Mas não espere pagamento. Vai ter de trabalhar porque tem bom coração."

"Tenho minhas dúvidas, Lucy. Parece muito com trabalho comunitário. Parece alguém querendo reparar os erros do passado."

"Garanto que os animais da clínica não vão questionar sua motivação, David. Não vão questionar, nem vão querer saber."

"Tudo bem, eu vou. Contanto que não tenha de me transformar numa pessoa melhor. Não estou preparado para reformas. Quero continuar sendo eu mesmo. Só vou nessa base." A mão dele ainda está em cima do pé dela; ele agarra seu tornozelo. "Combinado?"

Ela lhe dá o que só se pode chamar de um doce sorriso. "Então está decidido a continuar sendo mau. Louco, mau e perigoso para quem conhece. Prometo, ninguém vai pedir para você mudar."

Ela brinca com ele como a mãe dela costumava brincar. Só que seu humor é mais inteligente. Sempre sentiu atração por mulheres que têm humor. Humor e beleza. Nem com a maior das boas vontades conseguia encontrar algum humor em Melanie. Mas muita beleza, sim.

De novo sente passar pelo corpo um leve arrepio de volúpia. Sabe que está sendo observado por Lucy. Parece que não consegue esconder o que sente. Interessante.

Levanta-se, vai para o quintal. Os cachorros mais novos ficam contentes de vê-lo: andam para lá e para cá atrás da tela, ganindo. Mas a velha cadela buldogue mal se mexe.

Ele entra na gaiola dela, fecha a porta ao passar. Ela levanta a cabeça, olha para ele, torna a deitar a cabeça; as velhas tetas pendendo flácidas.

Ele se abaixa, agrada-lhe atrás das orelhas. "Abandonada, é?", murmura.

Deita-se ao lado dela no concreto nu do chão. O céu está azul-pálido. Seus membros relaxam.

É assim que Lucy o encontra. Deve ter adormecido: quando se dá conta, ela está dentro do canil com a lata de água, e a cadela está de pé, farejando os pés dela.

"Fazendo amizade?", Lucy diz.

"Não é fácil ficar amigo dela."

"Coitada da Katy, está de luto. Ninguém quer saber dela, e ela sabe disso. O irônico é que deve ter filhotes pelo distrito inteiro, todos dispostos a repartir suas casas com ela. Só que não têm o poder de fazer o convite. Fazem parte da mobília, parte do sistema de alarme. Eles nos dão a honra de nos tratar como deuses, e nós correspondemos tratando os bichos como coisas."

Saem do canil. A cadela se deita, fecha os olhos.

"Os Pais da Igreja discutiram longamente sobre os animais e chegaram à conclusão de que eles não têm alma propriamente", ele diz. "As almas dos animais estão ligadas ao corpo e morrem com eles."

Lucy dá de ombros. "Não tenho certeza que *eu* tenha alma. Não saberia como é uma alma se encontrasse uma na minha frente."

"Não é verdade. Você é uma alma. Nós somos almas. Somos almas antes de nascer."

Ela olha para ele, estranhando.

"O que vai fazer com ela?", ele pergunta.

"Com Katy? Vou ficar com ela, se precisar."

"Você nunca sacrifica um animal?"

"Não, eu não. Bev sacrifica. Como é uma coisa que ninguém gosta de fazer, ela assumiu a responsabilidade. Mas fica muito mal depois. Você está subestimando Bev. Ela é uma pessoa mais interessante do que você pensa. Mesmo nos seus termos."

Nos termos dele: e quais seriam? Essas mulherzinhas atarracadas de voz feia merecem ser ignoradas? Uma sombra de tristeza passa por ele: por Katy, sozinha em seu compartimento, por ele próprio, por todo mundo. Dá um profundo suspiro, sem se controlar. "Me desculpe, Lucy", ele diz.

"Desculpar? Por quê?" Ela está sorrindo, leve, brincando.

"Por ter sido um dos dois mortais encarregados de trazer você ao mundo e por não ter sido um guia melhor. Mas eu vou ajudar Bev Shaw, sim. Contanto que não tenha de chamar ela de Bev. É um nome idiota. Me faz pensar em gado. Quando eu começo?"

"Vou ligar para ela."

10.

A placa diante da clínica diz LIGA DE BEM-ESTAR DOS ANIMAIS W. O. 1529. Embaixo, uma linha de texto com os horários de atendimento, mas coberta com fita. Na porta, uma fila de gente esperando, alguns com animais. Assim que ele desce do carro, é cercado por crianças, mendigando dinheiro ou só olhando. Ele segue no meio do bando, atravessando uma súbita cacofonia de dois cachorros, presos pelos donos, mas que rosnam e latem um para o outro.

A sala de espera, pequena e nua, está lotada. Tem de passar por cima das pernas de alguém para entrar.

"Senhora Shaw?", pergunta.

Uma velha acena com a cabeça para uma porta fechada por cortina de plástico. A mulher está segurando um bode com uma corda curta; o bicho olha em volta, nervoso, temendo os cachorros, os cascos batendo no chão duro.

Na sala interna, que tem um cheiro penetrante de urina, Bev Shaw está trabalhando junto a uma mesa baixa de tampo metálico. Com uma pequena lanterna, examina a garganta de um cachorrinho que parece um cruzamento de ridgeback com chacal. Ajoelhado na mesa, um menino descalço, evidentemente o dono, segura a cabeça do animal debaixo do braço e tenta manter abertos os maxilares. Da garganta do bicho sai um grunhido baixinho, gargarejante, enquanto o animal faz força com os quartos traseiros. Desajeitado, ele se junta à luta, prendendo as pernas traseiras do cachorro, forçando-o a se deitar.

"Obrigada", diz Bev Shaw. Ela está com o rosto vermelho. "É um abscesso num dente que bateu. Não temos antibiótico, então... segure bem, *boytjie*, segure, menininho! Então, vamos ter de lancetar e esperar que funcione."

Ela cutuca dentro da boca com uma lanceta. O cachorro dá um tremendo puxão, tenta se soltar, quase se livra do menino. Ele o agarra enquanto o bicho patina para sair da mesa; durante um momento, seus olhos, cheios de raiva e de dor, o encaram.

"Deste lado, assim", Bev Shaw diz. Arrulhando, ela habilmente levanta o cachorro e o coloca de lado. "A correia", diz. Ele passa a correia em volta do corpo do animal e ela afivela. "Pronto", diz Bev Shaw. "Pense em coisas tranquilas, em coisas fortes. Eles farejam o que a gente pensa."

Ele apoia todo o seu peso em cima do cachorro. Cuidadosamente, com a mão enrolada em um trapo, o menino torna a abrir a boca do animal. Os olhos do cachorro rolam de terror. Eles farejam o que a gente pensa: que besteira! "Pronto, pronto", ele murmura. Bev Shaw cutuca com a lanceta de novo. O cachorro engasga, fica rígido, depois relaxa.

"Pronto", ela diz, "agora é deixar a natureza seguir seu curso." Desafivela a correia, fala com o menino numa língua que parece um xhosa muito titubeante. O cachorro, de pé, se esconde embaixo da mesa. O tampo está manchado de sangue e saliva; Bev limpa tudo. O menino convence o cachorro a sair.

"Obrigada, senhor Lurie. O senhor transmite algo positivo. Dá para perceber que gosta de animais."

"Eu gosto de animais? Eu como animais, logo, devo gostar deles, sim, de algumas partes deles."

O cabelo dela é uma massa de pequenos cachos. Será que é ela mesma que arruma, com ferros de encrespar? Pouco provável: levaria horas todo dia. Deve crescer já assim. Ele nunca viu uma *tessitura* dessas de perto. As veias de suas orelhas são visíveis, como uma filigrana vermelha e roxa. As veias do nariz também. E daí um queixo que começa direto do peito, como um peito de pombo. No conjunto, incrivelmente feia.

Ela está ponderando as palavras dele, cujo tom parece não ter captado.

"É, a gente come mesmo muitos animais na nossa terra", ela diz. "E parece que não faz muito bem para a saúde. Não sei que desculpa se poderia dar para eles." E em seguida: "Vamos chamar o próximo?".

Dar desculpa? Quando? No Juízo Final? Ele gostaria de ouvir mais, mas não é hora para isso.

O bode, um macho já adulto, mal pode andar. Metade do escroto, amarelo e roxo, está inchada como um balão; a outra metade é uma massa de sangue seco e barro. Um bando de cachorros o atacou, diz a velha. Mas o bicho parece alerta, animado, combativo. Enquanto Bev Shaw o examina, ele solta uma carga de bolotas no chão. Ao lado de sua cabeça, segurando os chifres, a mulher finge censurá-lo.

Bev Shaw toca o escroto com um chumaço de algodão na ponta de uma vareta. O bode dá um coice. "Dá para prender as pernas dele?", ela lhe pede, e mostra como. Ele amarra as pernas do lado direito, a traseira à dianteira. O bode tenta escoicear de novo, se desequilibra. Ela limpa suavemente o ferimento. O bode treme, solta um balido: um som feio, baixo e áspero.

Quando sai o barro, ele vê que a ferida está viva; vermes brancos agitam as cabeças cegas no ar. Estremece. "Mosca varejeira", diz Bev Shaw. "Faz pelo menos uma semana." Ela aperta os lábios. "Devia ter trazido antes", diz para a mulher. "É", diz a mulher. "Toda noite os cachorros aparecem. Muito ruim, muito. Quinhentos rands custa um macho assim."

Bev Shaw se endireita. "Não sei o que dá para fazer. Não tenho experiência para tentar tirar. Ela pode esperar pelo doutor Oosthuizen na quinta-feira, mas o coitado vai ficar estéril de qualquer jeito, e será que ela vai querer isso? E tem a questão do antibiótico. Será que tem condições de gastar com antibiótico?"

Ela se ajoelha ao lado do bode, agrada seu pescoço esfregando de baixo para cima com o próprio cabelo. O bode estremece, mas fica quieto. Ela faz sinal para a mulher soltar os chifres. A mulher obedece. O bode não se mexe.

Ela está sussurrando. "O que você acha, meu amigo?", ele escuta ela dizer. "O que você acha? Já basta?"

O bode fica absolutamente imóvel, como se estivesse hipnotizado. Bev Shaw continua a agradá-lo com a cabeça. Parece ter entrado numa espécie de transe.

Ela retoma o controle, levanta-se. "Acho que agora não dá mais", diz para a mulher. "Não posso fazer mais nada. Pode esperar o veterinário na quinta-feira, ou deixar o bode comigo. Posso dar um fim tranquilo para ele. Ele vai aceitar isso de mim. Quer? Quer que fique com ele aqui?"

A mulher hesita, depois sacode a cabeça. Começa a puxar o bode para a porta.

"Pode pegar de volta depois", Bev Shaw diz. "Eu posso ajudar a acabar com isso, mais nada." Embora tente controlar sua voz, ele escuta o tom de derrota. O bode escuta também: dá coices na correia, corcoveando e se encolhendo, aquele volume obsceno sacudindo. A mulher solta a correia, joga de lado. E vão embora.

"O que foi isso?", ele pergunta.

Bev Shaw esconde o rosto, assoa o nariz. "Não é nada. Eu guardo um pouco de letal para casos graves, mas não posso forçar os donos. O bicho é deles, querem matar do seu jeito. Que pena! Um velho tão bom, tão valente, forte e confiante!"

Letal: nome de uma droga? Ele não se surpreenderia com uma coisa dessas fabricada pelas indústrias farmacêuticas. De repente a escuridão, das águas do Lethe.

"Talvez ele entenda mais do que você pensa", disse. Para sua própria surpresa, estava tentando consolá-la. "Talvez ele já tenha superado a coisa. Nascido com uma visão do futuro, por assim dizer. Afinal, estamos na África. Aqui sempre existiu bode, desde o começo do mundo. Não precisa dizer para eles para o que serve o ferro, e o fogo. Eles sabem como é que morre um bode. Já nascem preparados."

"Acha mesmo?", ela diz. "Não sei, não. Não acho que a gente esteja preparado para morrer, nenhum de nós, não sem acompanhamento."

As coisas começam a se encaixar. Ele tem um primeiro vislumbre da tarefa que essa mulherzinha feia tomou para si. Este edifício árido não é um local de cura — seu tratamento é amador demais para isso — mas um último recurso. Ele se lembra da história de... quem era mesmo? Santo Hubert?, que dava abrigo a um cervo que entrava em sua capela, ofegante e perturbado, fugindo dos cachorros dos caçadores. Bev Shaw, não uma veterinária, mas uma sacerdotisa, cheia de tolices new age, tentando, absurdamente, aliviar o sofrimento dos bichos da África. Lucy pensou que ele ia achá-la interessante. Mas Lucy está errada. Interessante não é a palavra.

Ele passa toda a tarde na clínica, ajudando na medida do

possível. Quando encerram o último caso do dia, Bev Shaw mostra-lhe o terreno em volta. Nos viveiros existe um único pássaro, uma jovem águia pescadora com a asa partida. No mais, há cães: não os bem cuidados cães de raça de Lucy, mas um bando de vira-latas esquálidos lotando duas jaulas a ponto de explodir, latindo, chorando, ganindo, pulando de excitação.

Ele ajuda a colocar a ração seca e a encher os bebedouros. Esvaziam dois sacos de dez quilos.

"Quem paga tudo aqui?", ele pergunta.

"Compramos no atacado. Fazemos coletas públicas. Recebemos doações. Temos um atendimento de castração e conseguimos uma verba por isso."

"Quem faz as castrações?"

"O doutor Oosthuizen, nosso veterinário. Mas ele só vem uma tarde por semana."

Ele está olhando os cachorros comerem. Surpreende-se de ver como brigam pouco. Os pequenos, os fracos se retraem, aceitando o que lhes cabe, esperando a vez.

"O problema é que são demais", diz Bev Shaw. "Eles não entendem, claro, e não tem jeito de dizer isso para eles. Demais para os nossos padrões, não para os deles. Simplesmente se multiplicariam sem parar, se fosse do seu jeito, até encherem a terra. Eles não acham ruim ter uma porção de filhotes. Quanto mais, melhor. Com os gatos é a mesma coisa."

"E com os ratos."

"E com os ratos. O que me faz lembrar: quando chegar em casa veja se não pegou pulgas."

Um dos cachorros, de barriga cheia, olhos brilhando de bem-estar, cheira os dedos dele através da tela, lambe-os.

"Eles são muito igualitários, não são?", observa. "Sem divisão de classes. Ninguém é importante a ponto de não cheirar o traseiro do outro." Ele se agacha, deixa o cachorro cheirar seu rosto, seu hálito. Esse tem aquilo que ele considera um ar inteligente, embora talvez não seja nada disso. "Vão todos morrer?"

"Os que ninguém quiser. A gente sacrifica."

"E é você que faz isso?"

"Sou."

"Não se incomoda?"

"Me incomodo. Me incomodo profundamente. Não ia querer que quem fizesse para mim não se incomodasse. Você ia?"

Ele se cala. Depois diz: "Sabe por que minha filha me mandou vir aqui?".

"Ela disse que você está com problemas."

"Não é bem problema. Acho que se pode dizer que caí em desgraça."

Ele a observa atento. Ela parece incomodada; mas talvez seja imaginação sua.

"Sabendo disso, você ainda tem uso para mim?", ele pergunta.

"Se estiver preparado..." Ela abre as mãos, aperta uma contra a outra, torna a abrir. Não sabe o que dizer, e ele não ajuda.

Antes, ele só esteve ao lado da filha por períodos breves. Agora está participando da vida dela, da casa. Tem de tomar cuidado para não deixar velhos hábitos retornarem, os hábitos de pai: colocar o rolo de papel higiênico no suporte, apagar as luzes, fazer o gato descer do sofá. Praticando para a velhice, diz a si mesmo. Praticando para se adaptar. Praticando para o asilo.

Ele finge estar cansado e depois do jantar se retira para o seu quarto, onde lhe chegam distantes os ruídos de Lucy cuidando de sua vida: gavetas que se abrem e fecham, o rádio, o murmúrio de uma conversa ao telefone. Terá ligado para Johannesburgo, para falar com Helen? Será que sua presença ali está afastando as duas? Será que elas teriam coragem de dormir na mesma cama com ele na casa? Se a cama rangesse de noite, ficariam envergonhadas? Envergonhadas a ponto de parar? Mas o que é que ele sabe do que fazem as mulheres quando estão juntas? Talvez as mulheres não precisem fazer a cama ranger. E o que é que ele sabe dessas duas particularmente, Lucy e Helen? Talvez durmam juntas meramente como crianças, se abraçando, se tocando, rindo, aliviando a feminilidade — mais irmãs que amantes. Dormir na mesma cama, tomar banho na mesma banheira, fazer biscoitos de gengibre, experimentar as roupas da outra. Amor sáfico: uma desculpa para engordar.

A verdade é que ele não gosta de pensar na sua filha incendiada de paixão por outra mulher, ainda por cima uma mulher sem graça. Mas será que ia gostar mais se o amante fosse um homem? O que ele deseja de fato para Lucy? Não que ela seja para sempre criança, para sempre inocente, para sempre sua — isso não, decerto. Mas ele é pai, é o seu destino, e quando um pai envelhece volta-se mais e mais para a filha, não há como evitar. Ela se transforma em sua segunda salvação, a noiva de sua juventude renascida. Não é de admirar que nos contos de fadas as rainhas tentem eliminar as filhas!

Ele dá um suspiro. Pobre Lucy! Pobres filhas! Que destino, que carga para carregar! E filhos: eles também devem ter suas tribulações, embora disso ele entenda menos.

Gostaria de dormir. Mas está com frio, e sem sono nenhum.

Levanta-se, enrola um casaco nas costas, volta para a cama. Está lendo as cartas de Byron de 1820. Gordo, na meia-idade aos trinta e dois anos, Byron está morando com os Guiccioli em Ravenna: com Teresa, a amante complacente, de pernas curtas, e seu marido doce e malevolente. Calor de verão, chá de fim de tarde, mexericos provincianos, bocejos mal disfarçados.

"As mulheres sentadas em círculo e os homens tocando o horrendo Faro", Byron escreve. A redescoberta, no adultério, de todo o tédio do matrimônio. "Sempre vi os trinta anos como a barreira para qualquer prazer intenso ou verdadeiro das paixões."

Ele dá outro suspiro. Como é breve o verão, antes do outono e depois o inverno! Ele lê até depois da meia-noite, mas mesmo assim não consegue dormir.

11.

Quarta-feira. Ele levanta cedo, mas Lucy está de pé antes dele. Ele a encontra olhando os gansos selvagens na represa.

"Não são lindos?", ela pergunta. "Voltam todo ano. Os mesmos três. Acho um privilégio eles me visitarem. Ser a escolhida."

Três. Isso até podia ser uma solução. Ele e Lucy e Melanie. Ou ele e Melanie e Soraya.

Tomam café da manhã juntos, depois levam os dois dobermans para passear.

"Você acha que seria capaz de viver aqui, nesta parte do mundo?", Lucy pergunta inesperadamente.

"Por quê? Está precisando de um novo cachorreiro?"

"Não, não estava pensando nisso. Mas você com certeza podia conseguir um emprego na Universidade Rhodes, deve ter contatos lá. Ou em Port Elizabeth."

"Acho que não, Lucy. Não tenho mais valor de mercado. O escândalo vai me perseguir, vai ficar grudado em mim. Não, se eu arrumar um emprego tem de ser alguma coisa obscura, como escrivão, se é que ainda existe esse cargo, ou como zelador de canil."

"Mas se você quer acabar com os fofoqueiros, não tem de se defender? A fofoca não se multiplica quando a gente foge?"

Quando criança, Lucy havia sido sossegada e discreta, sempre observando, mas nunca, pelo que ele soubesse, julgando seus atos. Agora, entre os vinte e os trinta anos, ela começou a se separar. Os cachorros, a jardinagem, os livros de astrologia, as roupas assexuadas: em cada coisa ele identifica uma afirmação de independência, pensada, dirigida. A recusa aos homens também. Construindo a própria vida. Saindo da sombra dele. Bom! Ele aprova isso!

"Acha que foi isso que eu fiz?", ele pergunta. "Que fugi da cena do crime?"

"Bom, você se retirou. Em termos práticos, qual é a diferença entre uma coisa e outra?"

"Você não está entendendo, minha filha. Você está querendo que eu crie um caso que não dá mais para se criar, basta. Não nos nossos dias. Se eu tentar, ninguém vai me ouvir."

"Não é verdade. Mesmo que você seja o que diz, um dinossauro moral, existe uma curiosidade de se ouvir o dinossauro falando. Eu, por exemplo, estou curiosa. Como é esse seu caso? Vamos ouvir."

Ele hesita. Será que ela quer mesmo que ele libere mais algumas intimidades?

"Meu caso tem por base os direitos do desejo", ele diz. "Aquele deus que faz até os passarinhos estremecerem."

Ele se vê no apartamento da menina, no quarto dela, com a chuva caindo lá fora e o aquecedor no canto soltando cheiro de parafina, ele ajoelhado em cima dela, tirando sua roupa, ela com os braços caídos como uma morta. *Fui um servo de Eros*: é isso que ele quer dizer, mas será que tem coragem? *Era um deus que agia em mim.* Quanta vaidade! E, no entanto, não era mentira, não inteiramente. Nessa droga de história toda havia algo generoso que estava fazendo o possível para florescer. Se ao menos soubesse que o tempo ia ser tão curto!

Ele tenta de novo, mais devagar: "Quando você era pequena e a gente ainda morava em Kenilworth, os vizinhos tinham um cachorro, um golden retriever. Não sei se você lembra".

"Vagamente."

"Era um macho. Sempre que aparecia alguma cadela pela vizinhança, ele ficava excitado, incontrolável, e com regularidade pavloviana os donos batiam nele. A coisa continuou assim até o pobre do cachorro não saber mais o que fazer. Quando sentia o cheiro da cadela, corria pelo jardim com as orelhas baixas e o rabo entre as pernas, ganindo, tentando se esconder."

Ele faz uma pausa. "Não entendo", Lucy diz. E de fato, o que ele está querendo dizer?

"Era uma coisa tão ignóbil que eu ficava desesperado. Acredito que se possa castigar um cachorro por uma coisa como roer um chinelo. O cachorro aceita a justiça de uma coisa dessas: uma surra por um chinelo roído. Mas desejo é outra história. Nenhum animal aceita uma justiça que castiga porque você obedeceu seus instintos."

"Então os machos devem ter o direito de obedecer seus instintos livremente? É essa a moral da história?"

"Não, não é essa a moral. O que era ignóbil nesse caso de Kenilworth era que o cachorro começou a odiar a própria natureza. Ele nem precisava mais apanhar. Ele mesmo já se castigava. Chegou a um ponto que era melhor matar logo o coitado."

"Ou corrigir."

"Talvez. Mas no fundo acredito que ele ia preferir ser morto. Ele talvez preferisse isso às opções que tinha: de um lado, negar a própria natureza; de outro, passar o resto da vida andando pela sala, suspirando, farejando o gato e engordando."

"Você sempre pensou assim, David?"

"Não, nem sempre. Às vezes senti exatamente o contrário. Que o desejo é uma cruz que se podia muito bem viver sem."

"Eu diria", diz Lucy, "que também tendo para essa posição."

Ele espera que continue, mas ela não continua. "De qualquer forma", ela diz, "voltando ao assunto, você foi expulso em prol da segurança. Seus colegas podem voltar a respirar em paz, enquanto o bode expiatório vaga no deserto."

Uma afirmação? Uma pergunta? Será que ela acredita que ele é um bode expiatório?

"Acho que bode expiatório não é a melhor imagem", ele diz, cauteloso. "O uso do bode expiatório funcionou na prática enquanto ainda havia poder religioso por trás da prática. Você jogava os pecados da cidade nas costas do bode e levava o bode embora; pronto, a cidade estava limpa. Funcionava porque todo mundo entendia o ritual, inclusive os deuses. Depois, os deuses morreram, e de repente era preciso limpar a cidade sem a ajuda divina. Passou-se a exigir ação real no lugar do simbolismo. Nasceu o censor, no sentido romano. Vigilância passou a ser a palavra-chave: a vigilância de todos por todos. Expurgo no lugar da purgação."

Está se deixando levar; fazendo um sermão. "Então", conclui, "depois de dizer adeus à cidade, o que é que eu estou fazendo no meio do nada? Cuidando de cachorros. Brincando de braço direito de uma mulher especializada em esterilização e eutanásia."

Lucy ri. "Bev? Acha que Bev faz parte do aparato da repressão? Bev está assombrada com você! Ela nunca viu um professor da velha guarda na vida. Tem medo de cometer erros de gramática na sua frente."

Pelo caminho, vêm três homens na direção deles, ou dois homens e um rapaz. Estão andando depressa, com os passos largos dos camponeses. O cachorro que está ao lado de Lucy diminui o passo, se arrepia.

"Temos de ficar com medo?", ele murmura.

"Não sei."

Ela prende mais a coleira do doberman. Os homens chegam até eles. Um aceno, uma saudação, e passam.

"Quem são?", ele pergunta.

"Nunca vi antes."

Eles chegam ao limite da plantação e voltam. Os estranhos sumiram.

Quando chegam perto da casa, ouvem os cachorros presos fazendo um escândalo. Lucy apressa o passo.

Os três estão lá, esperando por eles. Os dois homens em cima de um degrau, enquanto o rapaz, ao lado do canil, provoca os cachorros e faz gestos bruscos, ameaçadores. Os cachorros, enfurecidos, latem e saltam. O cachorro ao lado de Lucy tenta se soltar. Até a velha cadela buldogue, que ele parece ter adotado, está rosnando baixinho.

"Petrus!", Lucy chama. Mas não há sinal de Petrus. "Deixe os cachorros!", ela grita. "*Hamba!* Porra!"

O rapaz se afasta devagar e vai para perto dos companheiros. Tem uma cara chata, sem expressão, e olhos de porco; veste camisa florida, calças *baggy*, um chapeuzinho amarelo. Os companheiros estão ambos de macacão. O mais alto é bonito, excepcionalmente bonito, de testa alta, maçãs do rosto esculturais, narinas largas, abertas.

Com a chegada de Lucy os cachorros se aquietam. Ela abre o terceiro compartimento e põe os dobermans para dentro. Um gesto corajoso, ele pensa consigo mesmo; mas será inteligente?

Ela diz para os homens: "O que vocês querem?".

O mais jovem diz: "Precisa telefonar".

"Telefonar por quê?"

"A irmã dele...", faz um gesto vago para trás... "está tendo acidente."

"Acidente?"

"É, muito ruim."

"Que acidente?"

"Bebê."

"A irmã dele está tendo bebê?"

"É."

"De onde vocês são?"

"De Erasmuskraal."

Ele e Lucy trocam um olhar. Erasmuskraal, dentro da reserva florestal, é um povoado sem eletricidade, sem telefone. A história faz sentido.

"Por que não telefona da estação florestal?"

"Não tem ninguém lá."

"Fique aqui", Lucy murmura para ele; e diz para o rapaz: "Quem é que quer telefonar?".

Ele aponta o homem alto, bonito.

"Venha", ela diz. Abre a porta de trás e entra. O alto entra atrás. Depois de um momento o outro homem o empurra e entra na casa também.

Alguma coisa está errada, ele percebe na hora. "Lucy, saia!", ele grita, sem saber de repente se entra ou se espera ali, de onde pode vigiar o rapaz.

A casa está em silêncio. "Lucy!", ele chama, e está para entrar quando ouve girar a fechadura da porta.

"Petrus!", ele grita o mais alto que pode.

O rapaz se vira e sai correndo para a porta da frente. Ele solta a correia da buldogue. "Pegue!", grita. A cachorra trota, pesada, atrás do rapaz.

Ele alcança os dois na frente da casa. O rapaz pegou uma vara e com ela mantém a cachorra afastada. "Passa... passa... passa!", grita, ofegante, batendo a vara. Grunhindo baixo, a cachorra circula de um lado para outro.

Ele deixa os dois e volta correndo para a porta da cozinha. A parte inferior não está trancada: basta uns chutes e ela se abre. De quatro, esgueira-se para dentro da cozinha.

Recebe um golpe no alto da cabeça. Tem tempo de pensar, *Se estou consciente então tudo bem*, antes de sentir os membros se liquefazerem e cair.

Tem consciência de ser arrastado pelo chão da cozinha. Depois apaga.

Está deitado de bruços no ladrilho frio. Tenta se levantar, mas sente as pernas impedidas de movimento. Torna a fechar os olhos.

Está no lavabo, o lavabo da casa de Lucy. Tonto, tenta se levantar. A porta está trancada, a chave sumiu.

Ele se senta na privada e tenta se recuperar. A casa está quieta; os cachorros estão latindo, mais por obrigação, parece, que por agitação.

"Lucy!", ele grita, rouco, e depois, mais alto: "Lucy!".

Tenta chutar a porta, mas não está inteiro, e o espaço é pequeno demais, a porta muito antiga e sólida.

Então chegou o dia da prova. Sem aviso, sem banda de música, ali está, e ele bem no meio da coisa. Em seu peito o coração bate tão forte que parece saber também, à sua maneira. Como é que vão enfrentar a prova, ele e seu coração?

Sua filha está nas mãos de estranhos. Dentro de um minuto, de uma hora, será tarde demais; seja o que for, o que está acontecendo com ela ficará gravado em pedra, pertencerá ao passado. Mas *agora* ainda não é tarde demais. *Agora* ele tem de fazer alguma coisa.

Mesmo com esforço, não consegue distinguir nenhum ruído na casa. Mas se sua filha estivesse chamando, por mais baixo que fosse, certamente escutaria!

Ele bate na porta. "Lucy!", grita. "Lucy! Responda!"

A porta se abre e o desequilibra. Diante dele está o segundo homem, o mais baixo, com uma garrafa vazia na mão. "As chaves", diz o homem.

"Não."

O homem dá-lhe um empurrão. Ele cambaleia para trás, cai sentado, pesadamente. O homem levanta a garrafa. Está com a cara plácida, sem um traço de raiva. É simplesmente um trabalho o que está fazendo: forçando alguém a lhe entregar uma coisa. Se for preciso bater com a garrafa, ele baterá, baterá quantas vezes for preciso, se necessário até quebrando a garrafa.

"Pode levar", ele diz. "Leve tudo. Só deixe minha filha em paz."

Sem uma palavra, o homem pega as chaves e torna a trancá-lo.

Ele estremece. Um trio perigoso. Como ele não percebeu a tempo? Mas ainda não o machucaram, não ainda. Será que a casa tem a oferecer o que eles querem? Será que vão deixar Lucy incólume também?

De trás da casa, vem o som de vozes. O latido dos cachorros torna a ficar mais alto, mais excitado. Ele sobe na privada e espia pelas grades da janela.

Com o rifle de Lucy na mão e um saco de lixo cheio de coisas, o segundo homem está sumindo atrás da casa. Uma porta de carro bate. Ele reconhece o som: seu carro. O homem reaparece de mãos vazias. Por um momento os dois se olham nos olhos. "Oi!", diz o homem, e sorri, feroz. Diz algumas palavras mais alto. Há uma gargalhada. Um momento depois, o rapaz junta-se a ele, e os dois ficam diante da janela, inspecionando o prisioneiro, discutindo seu destino.

Ele fala italiano, fala francês, mas italiano e francês de nada lhe valem na África negra. Está desamparado, um alvo fácil, um personagem de cartoon, um missionário de batina e capacete esperando de mãos juntas e olhos virados para o céu enquanto os selvagens combinam lá na língua deles como jogá-lo dentro do caldeirão de água fervendo. O trabalho missionário: que herança deixou esse imenso empreendimento enaltecedor? Nada visível.

Agora o homem alto aparece ali na frente, com o rifle. Com a facilidade da prática coloca um cartucho no tambor e enfia o cano na tela do canil. O pastor alemão maior, rugindo de raiva, ataca. Ouve-se uma pesada explosão; sangue e pedaços de cérebro se espalham pelo compartimento. Por um momento, cessam os latidos. O homem atira mais duas vezes. Um cachorro, atingido no peito, morre instantaneamente; outro, com uma ferida aberta no pescoço, senta-se pesadamente, baixa as orelhas e acompanha com os olhos os movimentos desse ser que não se dá ao trabalho de administrar um *coup de grâce*.

Cai um silêncio. Os outros três cachorros, sem ter onde se esconder, retiram-se para os fundos do compartimento, andando para lá e para cá, ganindo baixinho. Sem pressa entre um tiro e outro, o homem acerta todos.

Passos no corredor, e a porta do banheiro torna a se abrir. O segundo homem está ali na sua frente; por trás dele, consegue ver o rapaz de camisa florida tomando sorvete direto da embalagem. Ele tenta forçar a saída, passa pelo homem, mas cai pesadamente. Levou uma rasteira: eles devem praticar isso jogando futebol.

Enquanto está ali caído, é ensopado com um líquido dos pés à cabeça. Os olhos ardem, ele tenta esfregar. Reconhece o cheiro: metanol. Tenta se levantar, é empurrado de volta para o lavabo. Um riscar de fósforo e vê-se imediatamente envolto em frias chamas azuis.

Então estava errado! Ele e a filha não vão conseguir se safar, afinal! Ele pode queimar, pode morrer; e se ele pode morrer, Lucy também pode, principalmente Lucy!

Esfrega o rosto como um louco; seu cabelo estala ao se incendiar; ele se debate, soltando urros sem palavras, só medo. Tenta se levantar, mas é forçado para baixo outra vez. Por um momento, sua visão fica clara e ele vê, a centímetros do rosto, o macacão azul e um sapato. A ponta do sapato virada para cima; folhas de grama enfiadas na sola.

Uma chama dança silenciosa nas costas de sua mão. Ele se põe de joelhos e mergulha a mão na privada. Atrás dele a porta se fecha e a chave gira.

Ele se debruça na privada, jogando água no rosto, mergulhando a cabeça. O ar tem um cheiro horrível de cabelo queimado. Levanta-se, bate as últimas chamas da roupa.

Banha o rosto com chumaços de papel molhado. Seus olhos estão ardendo, uma pálpebra já quase fechada. Passa a mão na cabeça e seus dedos ficam pretos de carvão. A não ser por um chumaço em cima de uma orelha, parece que não tem mais cabelo; todo o couro cabeludo está mole. Tudo está mole, tudo queimado. Ardendo, ardente.

"Lucy!", ele grita. "Você está aí?"

Vem-lhe uma imagem de Lucy num corpo a corpo com os dois de macacão, lutando com eles. Estremece, tentando apagar a imagem.

Ouve seu carro sendo ligado, e os pneus crepitando no cascalho. Acabou? Será que, inacreditavelmente, estão indo embora?

"Lucy!", grita, insistentemente, até ouvir um traço de loucura na própria voz.

Por fim, abençoadamente, a chave gira na fechadura. Quando consegue abrir a porta, Lucy já está de costas para ele. De roupão, descalça, o cabelo molhado.

Arrasta-se atrás dela até a cozinha, onde a geladeira está aberta e há comida espalhada pelo chão. Ela para na porta dos fundos observando a carnificina do canil. "Coitadinhos, coitadinhos!", ouve-a murmurar.

Ela abre o primeiro compartimento e entra. O cachorro com a ferida no pescoço ainda está respirando. Ela se curva e lhe fala. Fraco, o bicho sacode o rabo.

"Lucy!", ele chama de novo, e agora, pela primeira vez ela o olha. Seu rosto se franze. "O que fizeram com você?", pergunta.

"Minha filha!", ele diz. Entra atrás dela e tenta abraçá-la. Delicada, mas decidida, ela se liberta do abraço.

A sala está uma bagunça, assim como o quarto dele. Levaram coisas: seu casaco, o melhor sapato, e isso é só o começo.

Olha-se no espelho. Tem a cabeça e a testa cobertos de cinzas, tudo o que sobrou de seu cabelo. Por baixo, o couro cabeludo está vermelho intenso. Ele toca a pele: é doloroso e está começando a porejar. Uma pálpebra está fechando de tão inchada; as sobrancelhas sumiram, os cílios também.

Ele vai até o banheiro, mas a porta está fechada. "Não entre", diz a voz de Lucy.

"Você está bem? Está ferida?"

Perguntas cretinas; ela não responde.

Ele tenta lavar a cinza na torneira da cozinha, entornando sobre a cabeça um copo de água após outro. A água escorre por suas costas; ele começa a tremer de frio.

Isso acontece todo dia, toda hora, todo minuto, diz a si mesmo, em toda parte do país. Considere-se feliz de ter escapado com vida. Considere-se feliz de não estar preso no carro neste momento, sendo levado embora, ou no fundo de um canal com uma bala na cabeça. Sorte de Lucy também. Acima de tudo Lucy.

Um risco possuir coisas: um carro, um par de sapatos, um maço de cigarros. Coisas insuficientes em circulação, carros, sapatos, cigarros insuficientes. Gente demais, coisas de menos. O que existe tem de estar em circulação, de forma que as pessoas possam ter a chance de ser felizes por um dia. Essa é a teoria; apegar-se à teoria e ao conforto da teoria. Não a maldade humana, apenas um vasto sistema circulatório, para cujo funcionamento piedade e terror são irrelevantes. É assim que se deve ver a vida neste país: em seu aspecto esquemático. Senão se enlouquece. Carros, sapatos; mulheres também. Deve haver no sistema algum nicho para as mulheres e para o que acontece com elas.

Lucy está atrás dele. De calça comprida e capa de chuva agora; o cabelo penteado para trás, cara limpa e inteiramente sem expressão. Ele olha nos olhos dela. "Minha filha...", diz, e se engasga num súbito ataque de choro.

Ela não mexe um dedo para acalmá-lo. "Sua cabeça está horrível", diz. "Tem óleo de bebê no armarinho do banheiro. Passe um pouco. Levaram seu carro?"

"Levaram. Acho que foram na direção de Port Elizabeth. Tenho de telefonar para a polícia."

"Não dá. Quebraram o telefone."

Ela sai. Ele se senta na cama e espera. Enrolou-se em um cobertor, mas continua tremendo. Está com um pulso inchado, latejando de dor. Não consegue se lembrar como foi que machucou. A tarde toda parece ter passado num relâmpago.

Lucy volta. "Esvaziaram os pneus da kombi", ela diz. "Vou a pé até a casa do Ettinger. Não demoro." Uma pausa. "David, quando as pessoas perguntarem, você se importaria de contar só a sua parte, só o que aconteceu com você?"

Ele não entende.

"Você conta o que aconteceu com você, eu conto o que aconteceu comigo", ela repete.

"Está cometendo um erro", ele diz numa voz que logo se transforma num ronco.

"Não estou, não", diz ela.

"Minha filha, minha filha!", diz, estendendo-lhe os braços. Ela não vem, então ele afasta o cobertor, levanta-se e a toma nos braços. Ela fica dura como uma estaca em seu abraço, sem ceder nada.

12.

Ettinger é um velho ranzinza que fala inglês com um forte sotaque alemão. Sua mulher morreu, os filhos voltaram para a Alemanha, ele foi o único que sobrou na África. Ele chega numa pick-up com Lucy a seu lado e espera com o motor ligado.

"É, eu nunca vou a lugar nenhum sem a minha Beretta", ele diz assim que estão na estrada de Grahamstown. Dá um tapinha no coldre preso ao cinto. "Melhor você se cuidar, porque a polícia não vai cuidar, nunca mais, pode ter certeza."

Ettinger tem razão? Se tivesse uma arma, teria protegido Lucy? Ele duvida. Se tivesse uma arma, provavelmente estaria morto agora, ele e Lucy, os dois.

Ele percebe que suas mãos estão tremendo um pouquinho. Lucy está de braços cruzados no peito. Será porque está tremendo também?

Achava que Ettinger ia levá-los para a delegacia de polícia. Mas Lucy pediu para levá-los ao hospital.

"Por minha causa ou sua?", ele pergunta.

"Sua."

"A polícia não vai querer me ver também?"

"Tudo que você for contar para eles, eu também posso contar", ela responde. "Ou não?"

No hospital, ela entra na porta com a tabuleta ACIDENTA-DOS, preenche um formulário, coloca-o sentado na sala de espera. Ela é toda força, determinação, enquanto ele parece dominado pelo tremor que tomou conta de seu corpo.

"Se derem alta, me espere aqui", ela ordena. "Eu volto para buscar você."

"E você?"

Ela dá de ombros. Se está tremendo, não demonstra nada.

Ele encontra um lugar entre duas moças gordas que devem ser irmãs, uma delas com uma criança que geme, e um homem com um curativo ensanguentado na mão. São doze na fila. O relógio da parede marca 5:45. Ele fecha o olho bom e desliza para um cochilo em que as duas irmãs continuam sussurrando, *chuchotantes*. Quando abre o olho, o relógio ainda marca 5:45. Está quebrado? Não: o ponteiro de minutos se mexe e para em 5:46.

Só duas horas depois a enfermeira o chama, e ainda tem de esperar mais até chegar sua vez de ser atendido pelo único médico de serviço, uma jovem indiana.

As queimaduras na cabeça não são sérias, diz ela, mas tem de tomar cuidado para não infeccionar. Ela se detém no olho. As pálpebras inferior e superior estão coladas; separá-las revela-se excepcionalmente doloroso.

"O senhor teve sorte", ela comenta, depois do exame. "O olho em si não foi afetado. Se tivessem usado gasolina seria outra história."

Ele sai com a cabeça enfaixada, o olho coberto, uma bolsa de gelo amarrada no pulso. Na sala de espera surpreende-se de encontrar Bill Shaw. Bill, que é uma cabeça mais baixa que ele, pega-o pelos ombros. "Horrível, que coisa horrível", diz. "Lucy está lá em casa. Ela queria vir buscar você, mas Bev não quis nem ouvir falar nisso. Como você está?"

"Tudo bem. Queimaduras superficiais, nada sério. Desculpe estragar sua noite."

"Bobagem!", diz Bill Shaw. "Amigo é para essas coisas. Você faria o mesmo."

Ditas sem ironia, as palavras ficam grudadas nele e não se dissipam. Bill Shaw acredita que se ele, Bill Shaw, tivesse levado uma pancada na cabeça e sido incendiado, ele, David Lurie, iria de carro até o hospital, e ficaria esperando, sem nem um jornal para ler, para levá-lo em casa. Bill Shaw acredita que, como ele e David Lurie tomaram uma xícara de chá juntos uma vez, os dois têm obrigações um com o outro. Bill Shaw está certo ou errado? Será que Bill Shaw, nascido em Hankey, a menos de duzentos quilômetros, vendedor de uma loja de material de construção, conhece tão pouco do mundo a ponto de não saber que existem homens que não fazem amigos com facilidade, cuja atitude em relação à amizade entre homens é roída pelo ceticismo? Em inglês moderno, *friend*, amigo, do inglês antigo *freond*, do verbo *freon*, amar. O ato de tomar chá juntos estabelece um vínculo amoroso aos olhos de Bill Shaw? E se não fossem Bill e Bev Shaw, se não fosse o velho Ettinger, se não fossem os vínculos de algum tipo, o que seria dele agora? Estaria na fazenda arruinada, com o telefone quebrado, no meio dos cachorros mortos.

"Que coisa chocante", Bill Shaw repete, no carro. "Que atrocidade. Já é um horror quando a gente lê no jornal, mas quando acontece com alguém que a gente conhece", ele sacode a cabeça, "é que se entende. É como estar na guerra de novo."

Ele não se dá ao trabalho de responder. O dia ainda não morreu, está vivo. *Guerra, atrocidade*: cada palavra com que se tenta qualificar esse dia, o dia engole com sua garganta negra.

Bev Shaw os encontra na porta. Lucy tomou um sedativo, ela anuncia, e está deitada; melhor não ser incomodada.

"Ela foi à polícia?"

"Foi, fez o boletim de ocorrência do seu carro."

"E foi ao médico?"

"Está tudo sob controle. E você? Lucy diz que está muito queimado."

"Queimado, mas não tão mal quanto parece."

"Então tem de comer alguma coisa e descansar."

"Não estou com fome."

Ela enche para ele a grande banheira antiga, de ferro fundido. Ele estica o corpo pálido na água fumegante e tenta relaxar. Mas na hora de sair, escorrega e quase cai: está fraco como um bebê, e tonto também. Tem de chamar Bill Shaw e sofrer a ignomínia de receber ajuda para sair da banheira, enxugar-se, receber ajuda para vestir o pijama emprestado. Depois, escuta Bill e Bev conversando em voz baixa, e sabe que é dele que estão falando.

Ele trouxe do hospital um frasco de analgésicos, um pacote de curativos para queimadura e uma pecinha de alumínio para apoiar a cabeça. Bev Shaw acomoda-o no sofá com cheiro de gato; com surpreendente facilidade ele adormece. No meio da noite, desperta em um estado de absoluta clareza. Teve uma visão: Lucy falou com ele; suas palavras, "Venha, me salve!", ainda ressoam em seus ouvidos. Na visão, ela está de pé, mãos estendidas, cabelo molhado penteado para trás, em um campo de luz branca.

Ele se levanta, tropeça numa cadeira que voa longe. Uma luz se acende e Bev Shaw aparece na sua frente de camisola.

"Tenho de falar com Lucy", ele diz: sua boca está seca, a língua grossa.

A porta do quarto de Lucy está aberta, Lucy não está parecida com a visão. Seu rosto está inchado de sono, ela está amarrando o cinto de um penhoar que evidentemente não é dela.

"Desculpe, eu tive um sonho", ele diz. A palavra *visão* fica, de repente, muito antiquada, muito estranha. "Achei que você estava me chamando."

Lucy sacode a cabeça. "Não estava. Agora vá dormir."

Ela tem razão, é claro. São três da manhã. Mas ele não deixa de observar que, pela segunda vez no mesmo dia, ela lhe falou como se fala com uma criança — uma criança ou um velho.

Ele tenta dormir de novo, mas não consegue. Deve ser efeito do remédio, diz a si mesmo: não uma visão, nem mesmo um sonho, apenas uma alucinação química. Mesmo assim, a figura da mulher no campo de luz permanece diante dele. "Salve-me!", pede sua filha, as palavras claras, sonantes, imediatas. Será possível que a alma de Lucy tenha deixado o corpo e vindo de fato até ele? Será que as pessoas que não acreditam em alma têm alma mesmo assim, e suas almas levam uma vida independente?

Muitas horas ainda antes do amanhecer. Seu pulso dói, os olhos ardem, a cabeça está sensível e irritada. Cuidadosamente, acende o abajur e se levanta. Enrolado em um cobertor, abre a porta do quarto de Lucy e entra. Há uma cadeira ao lado da cama; senta-se. Pressente que ela está acordada.

O que está fazendo? Vigiando sua filhinha, protegendo-a do mal, afastando os maus espíritos. Depois de um longo tempo, sente que ela começa a relaxar. Um ligeiro estalo quando os lábios dela se separam, e um suavíssimo ressonar.

É de manhã. Bev Shaw serve-lhe um café da manhã com flocos de milho e chá, e desaparece no quarto de Lucy.

"Como ela está?", pergunta, ao vê-la de volta.

Bev Shaw responde apenas com um seco movimento de cabeça. Não é da sua conta, ela parece dizer. Menstruação, parto, violação e suas consequências: coisas de sangue, coisas de mulher, reservadas a mulheres.

Mais uma vez, ele pensa se as mulheres não seriam mais felizes se vivessem em comunidades de mulheres, recebendo visitas dos homens só quando quisessem. Talvez ele esteja errado em considerar Lucy homossexual. Talvez ela simplesmente prefira companhia feminina. Ou talvez as lésbicas sejam apenas isso: mulheres que não têm necessidade de homens.

Não é de admirar que sejam tão veementes contra o estupro, ela e Helen. Estupro, deus do caos e da mistura, violador da reclusão. Estuprar uma lésbica é pior que estuprar uma virgem: o golpe é maior. Será que sabiam o que estavam fazendo, aqueles homens? Teria corrido a notícia?

Às nove horas, depois que Bill Shaw foi para o trabalho, ele bate na porta de Lucy. Ela está deitada virada para a parede. Ele se senta ao lado dela, toca-lhe o rosto. Está molhado de lágrimas.

"Não é uma coisa fácil de conversar", diz, "mas você foi ao médico?"

Ela se senta e assoa o nariz. "Passei na clínica ontem de noite."

"E o médico vai cuidar de todas as possibilidades?"

"Médica", Lucy diz. "Ela, não ele. Não." Há uma aspereza de raiva em sua voz. "Como é possível? Como um médico pode cuidar de todas as possibilidades? Pense um pouco!"

Ele se levanta. Se ela se dá ao direito de ficar irritada, então ele também pode. "Desculpe ter perguntado", diz. "O que você pretende fazer hoje?"

"O que eu pretendo? Voltar para a fazenda e limpar tudo."
"E depois?"
"Continuar como antes."
"Na fazenda?"
"Claro. Na fazenda."
"Seja razoável, Lucy. As coisas mudaram. Não dá para continuar de onde paramos."
"Por que não?"
"Porque não é uma boa ideia. Porque não é seguro."
"Seguro nunca foi, e não é ideia nenhuma, nem boa, nem má. Não vou voltar por causa de ideia nenhuma. Vou voltar, só isso."

Sentada, com a camisola emprestada, ela o enfrenta, de pescoço duro, os olhos brilhando. Não mais a filhinha do papai, não mais.

13.

Antes de saírem ele precisa trocar os curativos. No banheirinho atravancado, Bev Shaw desamarra as bandagens. A pálpebra ainda está fechada e surgiram bolhas no couro cabeludo, mas os danos não são tão grandes quanto podiam ter sido. A parte mais dolorosa é a aba da orelha direita: segundo a jovem médica, foi a única parte do corpo dele que realmente pegou fogo.

Bev lava com uma solução estéril a pele viva e vermelha da cabeça, depois, usando uma pinça, aplica o curativo amarelo oleoso. Delicadamente, espalha o remédio na pálpebra e na orelha. Não fala nada enquanto trabalha. Ele pensa no bode da clínica, e imagina se quando estava nas mãos dela teria sentido a mesma serenidade.

"Pronto", ela diz afinal, afastando-se.

Ele examina a própria imagem no espelho, com a touca branca e limpa e o olho tapado. "Tudo em cima", diz, mas pensa: como uma múmia.

Tenta, de novo, tocar no assunto do estupro. "Lucy disse que foi à clínica geral ontem de noite."

"É."

"Existe o risco de gravidez", ele insiste. "Existe o risco de infecção venérea. O risco de HIV. Será que não era bom ela consultar um ginecologista também?"

Bev Shaw se agita, incomodada. "Fale você com a Lucy."

"Já falei. Não consigo fazer ela entender."

"Fale de novo."

Já passa das onze, mas Lucy não dá sinal de aparecer. Ele anda sem rumo pelo jardim. Seu humor está ficando cinzento. Não só porque não sabe o que fazer consigo mesmo. Os acontecimentos da véspera o deixaram profundamente chocado. O tremor, a fraqueza, são só os primeiros indícios, mais superficiais, do estado de choque. Ele tem a sensação de que, dentro dele, um órgão vital foi ferido, comprometido, talvez seu coração. Pela primeira vez, tem uma amostra de como será ser velho, cansado até os ossos, sem esperança, sem desejos, indiferente ao futuro. Largado numa cadeira de plástico, em meio ao fedor das penas de galinha e maçãs podres, ele sente o seu interesse pelo mundo escoando de dentro dele, gota a gota. Pode levar semanas, pode levar meses até secar inteiramente, mas está secando. Quando isso terminar, ele será como uma casca de mosca numa teia de aranha, quebradiço ao contato, mais leve que uma casca de arroz, pronto para sair flutuando.

Não pode esperar nenhum apoio de Lucy. Paciente, silenciosamente, Lucy tem de encontrar o seu próprio caminho de volta da escuridão para a luz. Até voltar a si mesma, o ônus da vida diária depende dele. Mas aconteceu de repente demais. É uma carga para a qual ele não está preparado: a fazenda, a horta, os canis. O futuro de Lucy, o seu futuro, o futuro da terra como um todo — é tudo uma questão de indiferença, ele quer dizer; que vá tudo para o inferno, não me importa. Quanto aos homens que os visitaram, ele lhes deseja tudo de mal, onde quer que estejam, mas não quer mais pensar neles.

Apenas um efeito colateral, diz a si mesmo, um efeito da invasão. O organismo logo estará recuperado, e eu, o fantasma dentro de mim, voltarei ao meu normal. Mas a verdade, ele sabe, é diferente. Seu prazer de viver expirou. Como uma folha numa corrente, como um cogumelo que cospe seus esporos no vento, ele começou a flutuar para o seu fim. Enxerga isso claramente, e enche-se de (a palavra se recusa a desaparecer) desespero. O sangue da vida está abandonando seu corpo e o desespero está tomando seu lugar, um desespero que é como um gás, inodoro, insípido, impalpável. A gente aspira, os membros relaxam, cessam as preocupações, mesmo no momento em que o aço toca a garganta.

Soa a campainha: dois policiais jovens, de uniformes novos em folha, prontos para começar as investigações. Lucy sai do quarto com aparência exausta, usando a mesma roupa do dia anterior. Recusa o café da manhã. Com a polícia seguindo atrás da van, Bev os levou para a fazenda.

Os corpos dos cachorros estão nos lugares onde caíram, dentro do canil. A buldogue Katy ainda está por lá: eles a veem escondida perto do estábulo, mantendo distância. Nem sinal de Petrus.

Dentro, os policiais tiram os quepes, enfiam debaixo do braço. Ele recua, deixa Lucy contar a história que escolheu contar. Os dois ouvem respeitosamente, atentos a cada palavra, a caneta correndo nervosa pelas páginas do caderno. São da mesma geração dela, mas esquivos a ela, como se fosse uma criatura poluída e sua poluição pudesse pegar neles, conspurcá-los.

Eram três homens, ela diz, ou melhor, dois homens e um rapaz. Conseguiram entrar na casa, levaram (ela enumera as coisas) dinheiro, roupas, um televisor, um aparelho de CD, um rifle com munição. Quando o pai resistiu, eles o atacaram, jogaram álcool nele e tentaram queimá-lo vivo. Depois atiraram nos cachorros e foram embora no carro dele. Ela descreve os homens e como estavam vestidos; descreve o carro.

Enquanto fala, Lucy olha o tempo todo diretamente para ele, como se sugasse sua força, ou então o estivesse desafiando a contradizê-la. Quando um dos policiais pergunta: "Quanto tempo durou o incidente todo?", ela diz: "Vinte, trinta minutos". Uma inverdade, como ele sabe, como ela sabe. Durou muito mais. Quanto mais? O tempo necessário para fazerem o serviço com a dona da casa.

Ele, porém, não interrompe. *Uma questão de indiferença*: ele mal escuta enquanto Lucy conta a sua história. No fundo da memória, palavras que estão vagando desde a noite passada começam a tomar forma. *Duas velhas trancadas no banheiro/ Presas lá dentro de segunda a sábado/ Ninguém sabia que estavam lá.* Trancado no banheiro enquanto sua filha era usada. Uma canção da infância que volta para apontar um dedo acusador. *Nossa, nossa! O que será que aconteceu?* O segredo de Lucy; a desgraça dele.

Cautelosamente, os policiais andam pela casa, inspecionando. Nada de sangue, nenhuma mobília virada. A bagunça da cozinha foi arrumada (por Lucy? quando?). Atrás da porta do lavabo, dois fósforos queimados, que eles nem percebem.

No quarto de Lucy, a cama de casal está sem lençóis. A *cena do crime*, ele pensa consigo mesmo; como se lessem seus pensamentos, os policiais desviam os olhos, passam adiante.

Uma casa sossegada em uma manhã de inverno, nada mais, nada menos.

"O investigador vem depois para recolher as impressões digitais", eles dizem ao sair. "Tentem não tocar em nada. Se lembrar de mais alguma coisa que eles levaram, ligue para a delegacia."

Mal eles saem, chega o homem para consertar o telefone, e depois o velho Ettinger. Sobre o ausente Petrus, Ettinger observa, sombrio: "Não se pode confiar em nenhum". Vai mandar um menino, diz, para consertar a kombi.

No passado, ele já viu Lucy ter um acesso de raiva diante do uso da palavra *menino*. Agora, ela não reage.

Ele acompanha Ettinger até a porta.

"Pobre Lucy", diz Ettinger. "Deve ter sido difícil para ela. Mas podia ter sido pior."

"É? Como?"

"Podiam ter levado Lucy embora com eles."

Isso o desperta. Nada bobo, esse Ettinger.

Finalmente, ele e Lucy ficam sozinhos. "Eu enterro os cachorros se me disser onde", ele oferece. "O que vai dizer para os donos?"

"Vou dizer a verdade."

"O seguro cobre isso?"

"Não sei. Não sei se existe cobertura de seguro para massacre. Vou ter de descobrir."

Uma pausa. "Por que você não está contando a história completa, Lucy?"

"Eu contei a história completa. A história completa é a que eu contei."

Ele sacode a cabeça, pensativo. "Você deve ter suas razões, mas num contexto mais amplo acha que essa é a melhor atitude?"

Ela não responde, e ele não insiste, por enquanto. Mas seus pensamentos estão nos três estranhos, nos três invasores, homens que ele provavelmente nunca mais verá, mas que serão para sempre parte de sua vida agora, e da vida de sua filha. Os homens vão ver os jornais, vão ouvir os comentários. Vão ler que estão sendo procurados por assalto e roubo e nada mais. Vão entender que sobre o corpo da mulher o silêncio se estenderá como um cobertor. *Vergonha*, dirão entre eles, *vergonha de contar*, e vão rir maliciosamente, relembrando a aventura. Lucy estará preparada para lhes entregar essa vitória?

    Ele cava um buraco no lugar que Lucy indica, perto da linha limítrofe. Um túmulo para seis cachorros adultos: mesmo no campo recém-arado, leva quase uma hora, e ao terminar está com as costas doloridas, o pulso doendo de novo. Rola os corpos dentro de um barril. O cachorro com a ferida na garganta ainda arreganha os dentes ensanguentados. Como pescar peixes dentro de um barril, ele pensa. Indigno, mas hilariante, num país em que os cães são criados para rosnar ao menor cheiro de um negro. Uma tarde de trabalho satisfatória, embriagante, como toda vingança. Um a um, joga os cachorros dentro do buraco, depois cobre.

    Ao voltar, encontra Lucy instalando uma cama de armar na despensa mofada que usa para armazenar coisas.

"Isso é para quem?", ele pergunta.

"Para mim."

"E o quarto de hóspedes?"

"Está faltando umas tábuas no teto."

"E a sala grande dos fundos?"

"O freezer faz muito barulho."

Não é verdade. O freezer da sala dos fundos mal sussurra. É por causa do que está dentro do freezer que Lucy não quer dormir lá: vísceras, ossos, carne para cachorros que não precisam mais dessas coisas.

"Fique no meu quarto", ele diz. "Eu durmo aqui." E começa imediatamente a tirar suas coisas.

    Mas será que quer mesmo se mudar para essa cela, junto com as caixas de vidros de compota vazios empilhadas num canto e uma minúscula janela virada para o sul? Se os fantasmas dos violadores de Lucy ainda pairam no quarto dela, devem ser expulsos e não tolerados, apossando-se de seu santuário. Ele, então, transfere suas coisas para o quarto de Lucy.

Cai a noite. Não estão com fome, mas comem. Comer é um ritual, e os rituais facilitam as coisas.

Com toda a suavidade possível, ele faz de novo a pergunta. "Lucy, minha filha, por que não quer contar? Trata-se de um crime. Não é vergonha nenhuma ser vítima de um crime. Não se tem escolha. Você é a parte inocente."

Sentada diante dele, do lado oposto da mesa, Lucy respira fundo, concentra-se, expira e sacode a cabeça.

"Quer que eu adivinhe?", ele pergunta. "Está tentando me fazer lembrar de alguma coisa?"

"Fazer você lembrar de quê?"

"Do que as mulheres sofrem nas mãos dos homens."

"Nada podia estar mais longe de mim. Isto não tem nada a ver com você, David. Você quer saber por que eu não fiz uma determinada queixa para a polícia. Vou contar por quê, contanto que você prometa não puxar o assunto outra vez. O motivo é que, de minha parte, o que aconteceu comigo é uma questão absolutamente particular. Em outro tempo, outro lugar, poderia ser considerado uma questão pública. Mas aqui, agora, não é. É coisa minha, só minha."

"Aqui quer dizer o quê?"

"Aqui quer dizer a África do Sul."

"Não concordo. Não concordo com o que está fazendo. Não acha que aceitando passivamente o que aconteceu com você, você vai se isolar dos fazendeiros como Ettinger? Você acha que o que aconteceu aqui foi uma prova: se passar, ganha um diploma e segurança no futuro, ou que é um sinal a ser pintado no batente da porta para impedir a visita da peste? Não é assim que funciona a vingança, Lucy. A vingança é como um fogo. Quanto mais devora, mais quer devorar."

"Pare, David! Não quero ouvir essa conversa de peste e fogo. Eu só estou tentando salvar a minha pele. Se é isso que você acha, está entendendo tudo errado."

"Então me esclareça. O que está tentando é conseguir alguma forma de salvação particular? Quer expiar os crimes do passado sofrendo no presente?"

"Não. Você está me interpretando errado. Culpa e salvação são coisas abstratas. Eu não funciono em termos de abstrações. Enquanto não fizer um esforço para entender isso, não tenho nada para dizer."

Ele vai responder, mas ela corta. "David, nós combinamos. Não quero continuar esta conversa."

Nunca antes os dois foram tão distantes, tão amarguradamente separados. Ele está abalado.

14.

Um novo dia. Ettinger telefona, se oferecendo para emprestar uma arma "por enquanto". "Obrigado", ele responde. "Vamos pensar."

Pega as ferramentas de Lucy e conserta a porta da cozinha o melhor que pode. Deviam instalar trancas, portões de segurança, uma cerca perimetral, como Ettinger fez. Deviam transformar a casa de fazenda em uma fortaleza. Lucy devia comprar um revólver e um rádio comunicador-receptor, e tomar aulas de tiro. Mas será que ela concorda? Está ali porque gosta da terra e do velho estilo de vida rural. Se esse tipo de vida acabar, o que lhe restará para amar?

Katy é atraída para fora de seu esconderijo e instalada na cozinha. Ela é reservada e temerosa, segue Lucy por toda parte, junto a seus calcanhares. A vida, de momento em momento, não é mais como antes. A casa parece estranha, violada; estão continuamente em alerta, à espreita de ruídos.

Então Petrus retorna. Um caminhão geme subindo a estrada marcada e estaciona ao lado do estábulo. Petrus desce da cabine usando um terno apertado demais, acompanhado da mulher e do motorista. Da carroceria do caminhão os dois homens descarregam caixas de papelão, postes de madeira tratada, folhas de ferro galvanizado, um rolo de mangueira plástica, e finalmente, com muito barulho e agitação, dois carneiros quase adultos, que Petrus amarra num dos mourões da cerca. O caminhão faz uma grande volta pelo estábulo e troveja estrada abaixo. Petrus e a mulher somem dentro de casa. Um penacho de fumaça começa a subir da chaminé de amianto.

Ele continua a olhar. Pouco depois, a mulher de Petrus aparece e com um gesto largo e simples esvazia um balde de restos. Uma bela mulher, ele pensa consigo, com sua saia comprida e o pano de cabeça amarrado alto, à moda do campo. Uma mulher bonita e um homem de sorte. Mas onde estavam os dois?

"Petrus está de volta", diz Lucy. "Com um caminhão carregado de material de construção."

"Ótimo."

"Por que ele não falou para você que ia sair? Você não acha meio esquisito ele ter desaparecido justamente nesse momento?"

"Eu não mando em Petrus. Ele é dono do nariz dele."

Resposta inconsequente, mas ele deixa passar. Está decidido a deixar passar tudo com Lucy, por enquanto.

Lucy está fechada em si mesma, não expressa nenhum sentimento, não demonstra interesse por nada à sua volta. Ele, que não entende nada das coisas da fazenda, é que tem de soltar os patos de seu abrigo, cuidar do sistema de irrigação e abrir a água para impedir que o jardim resseque. Lucy passa hora após hora na cama, olhando o vazio ou folheando revistas velhas, das quais parece ter um estoque ilimitado. Folheia impaciente, como se procurasse alguma coisa que não está ali. Nem sinal de *Edwin Drood*.

Ele espiona Petrus na represa, com seu macacão de trabalho. Parece estranho que ainda não tenha ido falar com Lucy.

Ele passa, trocam cumprimentos. "Você deve ter ouvido dizer que houve um grande assalto aqui na quarta-feira, quando você estava fora."

"É", Petrus responde, "ouvi dizer. É ruim, é uma coisa muito ruim. Mas agora o senhor está bom."

Ele está bem? Lucy está bem? É uma pergunta que Petrus está fazendo? Não soa como pergunta, mas ele não pode tomar por outra coisa, não honestamente. Se é uma pergunta, qual a resposta?

"Eu estou vivo", ele diz. "Se a gente está vivo, está bem, acho. Portanto, é, estou bem, sim." Faz uma pausa, espera, deixa o silêncio crescer, um silêncio que Petrus deveria preencher com a pergunta seguinte: *Como está Lucy?*

Ele está errado. "Lucy vai no mercado amanhã?", Petrus pergunta.

"Não sei."

"Porque ela vai perder a banca se não for", diz Petrus. "Pode ser."

"Petrus quer saber se você vai ao mercado amanhã", ele informa a Lucy. "Está com medo de você perder a banca."

"Por que não vão vocês dois?", ela diz. "Não estou com vontade."

"Tem certeza? É uma pena perder uma semana."

Ela não responde. Prefere esconder a cara, e ele sabe por quê. Porque está em desgraça. Porque sente vergonha. Foi isso que os visitantes conseguiram; foi isso que fizeram com essa jovem moderna, confiante. A história percorre o distrito como uma mancha. Não é a história dela que se espalha, mas a deles: eles são os donos. Como eles a puseram em seu lugar, como lhe mostraram para que serve uma mulher.

Com seu único olho e a touca branca, ele tem a sua própria timidez de aparecer em público. Mas por Lucy ele enfrenta a questão do mercado, limitando-se a sentar ao lado de Petrus na banca, suportando os olhares dos curiosos, respondendo polidamente aos amigos de Lucy que demonstram comiseração. "É, perdemos um carro", ele diz. "E os cachorros, claro, todos menos um. Não, minha filha está bem, só não está se sentindo bem hoje. Não, não temos esperança, a polícia está sobrecarregada, como vocês sabem. Claro, eu digo a ela."

Lê a reportagem sobre eles no *Herald*. Os homens são chamados de *assaltantes desconhecidos*. "Três assaltantes desconhecidos atacaram a senhorita Lucy Lourie e seu pai idoso na pequena propriedade próxima a Salem, fugindo com roupas, aparelhos eletrônicos e uma arma de fogo. Numa atitude estranha, os ladrões mataram a tiros seis cães de guarda antes de escapar em um Toyota Corolla 1993, chapa CA 507644. O senhor Lourie, que ficou levemente ferido no assalto, foi atendido no Hospital Settlers, recebendo alta em seguida."

Ele fica contente de não fazerem nenhuma ligação entre o pai idoso da senhorita Lourie e David Lurie, discípulo do poeta da natureza William Wordsworth e até recentemente professor da Universidade Técnica do Cabo.

Quanto ao trabalho em si, tem pouco a fazer. É Petrus que rápida e eficientemente expõe os produtos, que sabe os preços, que pega o dinheiro, que dá o troco. Petrus é, de fato, quem trabalha, enquanto ele fica sentado e esquenta as mãos. Exatamente como nos velhos tempos: *baas en Klaas*, um "supervisor". Só que ele não pretende dar ordens a Petrus. Petrus faz o que é preciso ser feito, e pronto.

Os ganhos, porém, são baixos: menos de trezentos rands. A razão disso é a ausência de Lucy, sem dúvida nenhuma. As caixas de flores, os sacos de legumes têm de ser carregados de volta na kombi. Petrus sacode a cabeça. "Nada bom", diz.

Até agora, Petrus não deu nenhuma explicação para a sua ausência. Petrus tem o direito de ir e vir como quiser; ele exerceu esse direito; tem direito ao seu silêncio. Mas a pergunta permanece. Petrus sabe quem eram os estranhos? Será que foi por alguma coisa que Petrus disse que escolheram Lucy como vítima e não, digamos, Ettinger? Petrus conheceria de antemão os planos deles?

Nos velhos tempos, dava para acertar tudo com Petrus. Nos velhos tempos dava para acertar as coisas a ponto de perder a paciência e demitir e contratar outro no lugar. Mas embora receba um salário, Petrus não é mais, em termos estritos, um trabalhador contratado. É difícil dizer o que Petrus é, em termos estritos. A palavra que parece servir melhor, no entanto, é *vizinho*. Petrus é um vizinho que acontece de vender seu trabalho porque lhe é conveniente. Ele vende seu trabalho sob contrato, um contrato verbal que não prevê dispensa por suspeita. Vivem em um mundo novo, ele, Lucy e Petrus. Petrus sabe disso, ele sabe disso, e Petrus sabe que ele sabe disso.

Apesar de tudo, sente-se à vontade com Petrus, está até preparado, mesmo que muito discretamente, para gostar dele. Petrus é um homem de sua geração. Sem dúvida passou por muita coisa, sem dúvida deve ter uma história para contar. Ele ia gostar de ouvir a história de Petrus um dia desses. Mas de preferência não reduzida ao inglês. Cada vez mais ele está convencido de que o inglês não é a língua adequada para a verdade da África do Sul. Em inglês, a história se transformou num código e longos trechos dela engrossaram, perderam sua articulação, sua articulosidade, sua artificiosidade. Como um dinossauro a expirar e a se assentar na lama, a linguagem endureceu.

Apertada no molde do inglês, a história de Petrus pareceria artrítica, ultrapassada.

O que o atrai em Petrus é o seu rosto, o rosto e as mãos. Se existe algo como um trabalho honesto, Petrus tem as marcas dele. Um homem de paciência, energia, resistência. Um camponês, um *paysan*, um homem do campo. Matreiro e dissimulado e sem dúvida mentiroso também, como os camponeses de qualquer lugar. Trabalho honesto e tramoia honesta.

Ele tem suas próprias teorias sobre o que Petrus está planejando a longo prazo. Petrus não vai se contentar em arar para sempre o seu hectare e meio. Lucy pode ter durado mais tempo que seus amigos ciganos, hippies, mas para Petrus Lucy ainda é café com leite: uma amadora, uma entusiasta da vida rural, não uma fazendeira. Petrus gostaria de ficar com a terra de Lucy. Aí, poderá se apossar da terra de Ettinger também, ou pelo menos o suficiente dela para criar um rebanho. Ettinger vai ser mais difícil de dobrar. Lucy é meramente transitória; Ettinger é camponês também, homem da terra, tenaz, *eingewurzelt*. Mas Ettinger vai morrer um dia desses, e os filhos de Ettinger foram embora. Nisso Ettinger foi bobo. Um bom camponês tem uma porção de filhos.

Na visão que Petrus faz do futuro não há lugar para gente como Lucy. Mas isso não precisa transformar Petrus em um inimigo. A vida campestre sempre foi cheia de vizinhos tramando contra vizinhos, desejando aos outros pragas, colheitas fracas, quebra financeira, mas mesmo assim ajudando na hora do aperto.

A pior hipótese, a mais sombria, é Petrus ter contratado esses três estranhos para dar uma lição a Lucy, em troca do saque. Mas ele não pode acreditar nisso, seria simples demais. A verdade mesmo, desconfia, é algo muito mais, ele procura a palavra, mais *antropológico*, algo que levaria meses para descobrir, meses de pacientes, lentas conversas com dúzias de pessoas, mais a colaboração de um intérprete.

Por outro lado, ele tem certeza de que Petrus sabia que alguma coisa estava para acontecer; acredita que Petrus podia ter alertado Lucy. Por isso não desiste do assunto. Por isso continua cutucando Petrus.

Petrus esvaziou o reservatório de concreto e está limpando as algas. É um trabalho desagradável. Mesmo assim, ele se oferece para ajudar. Com os pés apertados nas botas de borracha de Lucy, entra no reservatório, pisando com cuidado o chão escorregadio. Durante algum tempo trabalha junto com Petrus, raspando, esfregando, tirando a lama com a pá. De repente, interrompe o trabalho.

"Sabe, Petrus", diz, "acho difícil de acreditar que os homens que estiveram aqui fossem estranhos. Acho difícil de acreditar que chegaram do nada, e fizeram o que fizeram, e desapareceram depois feito fantasmas. E acho difícil acreditar que escolheram a gente simplesmente porque fomos as primeiras pessoas que encontraram aquele dia. O que é que você acha? Estou errado?"

Petrus fuma cachimbo, um cachimbo antigo de haste curva e com uma tampinha de prata em cima do fornilho. Ele endireita o corpo, tira o cachimbo do bolso do macacão, abre a tampinha, aperta o tabaco no fornilho, pita o cachimbo apagado. Olha, pensativo, além da parede do reservatório, além das montanhas, além do campo aberto. Sua expressão está perfeitamente tranquila.

"A polícia vai encontrar eles", diz, afinal. "A polícia tem de encontrar e botar na cadeia. É o dever da polícia."

"Mas sem ajuda a polícia não vai conseguir encontrar ninguém. Aqueles homens sabiam da estação florestal. Tenho certeza que sabiam tudo sobre Lucy. Como podiam saber se eram completamente desconhecidos no distrito?"

Petrus resolve não considerar isso uma pergunta. Guarda o cachimbo no bolso, troca a pá por uma vassoura.

"Não foi só roubo, Petrus", ele insiste. "Eles não vieram só para roubar. Não vieram só fazer isto aqui comigo." Toca os curativos, toca o protetor do olho. "Vieram para fazer uma outra coisa. Você sabe do que eu estou falando, e se não sabe pode adivinhar. Depois que fizeram o que fizeram, você acha que Lucy vai continuar calmamente com a vida dela como antes? Eu sou pai da Lucy. Quero que aqueles homens sejam presos, julgados e castigados. Está errado? Está errado eu querer justiça?"

Ele agora não se importa mais com a maneira de arrancar as palavras de Petrus, simplesmente quer que ele fale.

"Não, não está errado."

Uma onda de raiva brota dentro dele, tão forte que o surpreende. Pega a pá e raspa longas tiras de lama e algas do fundo do reservatório, e atira por cima do ombro, por cima da parede. *Você está entrando em um acesso de raiva*, diz para si mesmo. *Pare com isso!* Mas nesse momento, gostaria de pegar Petrus pelo pescoço. *Se fosse sua mulher no lugar da minha filha*, ele gostaria de dizer para Petrus, *você não estaria brincando com seu cachimbo e ponderando tanto as palavras.* Violação: essa é a palavra que ele gostaria de arrancar de Petrus. *É, foi uma violação*, ele gostaria de ouvir Petrus dizer: *é, foi infame*.

Em silêncio, lado a lado, ele e Petrus terminam o trabalho.

Assim passam os dias na fazenda. Ajuda Petrus a limpar o sistema de irrigação. Impede que o jardim se estrague inteiramente. Empacota os produtos para o mercado. Ajuda Bev Shaw na clínica. Varre o chão, faz a comida, faz todas as coisas que Lucy não faz mais. Ocupado do amanhecer ao pôr do sol.

Seu olho se recupera incrivelmente rápido: depois de apenas uma semana já está enxergando de novo. As queimaduras demoram mais. Ele mantém a touca e a bandagem em cima da orelha. A orelha, exposta, parece um molusco vermelho sem a concha: não sabe quando terá coragem de expor aquilo aos olhares alheios.

Compra um chapéu para se proteger do sol e, até certo ponto, para esconder o rosto. Está tentando se acostumar a parecer estranho, pior que estranho, repulsivo, uma daquelas pobres criaturas que as crianças encaram na rua. "Por que esse homem é esquisito?", elas perguntam às mães, que lhes calam as bocas.

Vai o mínimo possível às lojas de Salem, e a Grahamstown só aos sábados. Repentinamente, transformou-se num recluso, um recluso rural. É o fim da vida errante. Embora o coração ainda ame e a lua ainda brilhe. Quem diria que o fim viria tão rápido e tão repentino: a vida errante, o amor!

Ele não tem nenhuma razão para achar que suas dificuldades tenham chegado ao circuito dos mexericos da Cidade do Cabo. Mesmo assim, quer ter certeza de que Rosalind não vai ficar sabendo da história em alguma versão deturpada. Tenta ligar para ela duas vezes, mas não consegue. Na terceira vez, telefona para a agência de viagens onde trabalha. Rosalind está em Madagascar, dizem, recolhendo informações; dão-lhe o número de fax de um hotel em Antananarivo.

Ele redige uma mensagem: "Lucy e eu tivemos uns problemas. Meu carro foi roubado, e houve luta, eu me machuquei um pouco. Nada sério, estamos ambos bem, apesar de abalados. Achei melhor avisar, antes da boataria. Espero que esteja se divertindo". Ele mostra a folha para Lucy, que aprova, depois entrega a Bev Shaw para ser enviada. Para Rosalind na mais negra África.

Lucy não está melhorando. Passa as noites em claro, dizendo que não consegue dormir; depois, à tarde, ele a encontra dormindo no sofá, o polegar na boca como uma criança. Perdeu interesse pela comida: ele é que tem de motivá-la a comer, fazendo pratos estranhos, porque ela se recusar a tocar em carne.

Não foi para isso que ele veio — empacado nos fundos do além, afastando demônios, tratando da filha, cuidando de um empreendimento moribundo. Se tinha algum propósito, era se recuperar, recuperar suas forças. Ali, está se perdendo dia a dia.

Os demônios não o poupam. Tem seus pesadelos também, nos quais rola numa cama ensanguentada, ou, ofegante, dá gritos abafados, fugindo de um homem com cara de falcão, como uma máscara do Benin, como Thoth. Uma noite, meio sonâmbulo, meio louco, desarruma a própria cama, revira até o colchão, procurando manchas de sangue.

Ainda mantém o projeto Byron. Dos livros que trouxe da Cidade do Cabo sobraram apenas dois volumes de cartas — o resto estava na mala do carro roubado. A biblioteca pública de Grahamstown não tem nada além de uma coletânea de poemas. Mas será que precisa continuar lendo? O que mais precisa saber sobre a maneira como Byron e companhia passavam o tempo na velha Ravenna? Será que já não pode inventar um Byron que seja fiel a Byron e uma Teresa também?

Para dizer a verdade, há meses está fugindo: do momento de encarar a página em branco, de tocar a primeira nota, de ver se vale a pena. Já tem gravados na cabeça alguns trechos dos amantes em dueto, as linhas vocais, soprano e tenor, se enrolando uma na outra sem palavras, como serpentes. Melodia sem clímax; o murmúrio de escamas de réptil em escadarias de mármore; e, pulsando no fundo, o barítono do marido humilhado. Será que é ali que o trio finalmente virá à luz: não na Cidade do Cabo, mas na velha Cafraria?

15.

Os dois carneirinhos passam o dia amarrados ao lado do estábulo em um pedaço de chão nu. Seus balidos, constantes e monótonos, começaram a incomodá-lo. Ele vai até Petrus, que está consertando a bicicleta, de rodas para o ar. "Esses carneiros", diz, "não acha que podiam ficar amarrados em algum lugar onde possam pastar?"

"São para a festa", Petrus diz. "Sábado vou matar os dois para a festa. Você e Lucy vêm também." Ele limpa as mãos. "Estou convidando você e Lucy para a festa."

"Sábado?"

"É, vou dar uma festa no sábado. Festa grande."

"Obrigado. Mas mesmo sendo para a festa, não acha que os carneiros podiam pastar?"

Uma hora depois, os carneiros ainda estão amarrados, ainda balindo dolorosamente. Petrus não está em parte alguma. Exasperado, ele desamarra os bichos e prende ao lado da represa, onde a relva é abundante.

Os carneiros bebem demoradamente, depois começam a

pastar tranquilamente. São de raça persa, de cara preta, parecidos um com o outro no tamanho, nas cores, até nos movimentos. Gêmeos, com toda certeza, destinados desde o nascimento à faca do açougueiro. Bom, nada de mais nisso. Há quanto tempo os carneiros não morrem de velhice? Carneiros não são donos de si mesmos, não são donos da própria vida. Existem para ser usados, até a última gota, a carne comida, os ossos moídos e dados às galinhas. Não sobra nada, a não ser talvez a vesícula biliar, que ninguém come. Descartes devia ter pensado nisso. A alma, suspensa na bile escura, amarga, escondida.

"Petrus nos convidou para uma festa", ele diz a Lucy. "Por que está dando uma festa?"

"Por causa da propriedade da terra, acho. Vai ser oficializada no dia primeiro do mês que vem. É um dia importante para ele. A gente devia pelo menos aparecer, levar um presente."

"Ele vai matar os dois carneiros. Acho que dois carneiros não vão dar para muita coisa."

"Petrus é muito avarento. Antigamente, seria um boi."

"Acho que não gosto do jeito de ele fazer as coisas, essa história de trazer os bichos para casa, essa proximidade com as pessoas que vão comer a carne deles depois."

"O que você queria? Que o abate fosse feito em um matadouro, assim você não precisava pensar nisso?"

"É."

"Acorde, David. Estamos no campo. Isto aqui é a África."

Existe uma rispidez em Lucy ultimamente, para a qual ele não vê razão. Sua reação natural é recolher-se ao silêncio. Há momentos em que os dois são como estranhos morando na mesma casa.

Ele diz a si mesmo que tem de ter paciência, que Lucy ainda está vivendo à sombra do ataque, que é preciso um tempo para ela voltar a ser ela mesma. Mas e se estiver errado? E se, depois de um ataque desses, a pessoa nunca mais voltar a ser ela mesma? E se um ataque desses transformar a pessoa em uma outra, totalmente diferente e mais sombria?

Existe uma explicação ainda mais sinistra para o humor de Lucy, que ele não consegue tirar da cabeça. "Lucy", pergunta, no mesmo dia, de repente, "você não está escondendo nada de mim, está? Você não pegou nada daqueles homens?"

Ela está sentada no sofá, de pijama e penhoar, brincando com o gato. Passa do meio-dia. O gato é novinho, alerta, ágil. Lucy arrasta o cinto do penhoar na frente dele. O gato dá tapinhas rápidos, leves no cinto, um-dois-três-quatro.

"Homens?", ela pergunta. "Que homens?" Puxa o cinto para um lado; o gato mergulha em cima dele.

Que homens? Ele sente o coração parar. Será que ela enlouqueceu? Recusa-se a lembrar?

Mas parece que está só brincando com ele. "David, não sou mais criança. Fui ao médico, fiz os exames, fiz tudo o que é possível fazer. Agora é só esperar."

"Sei. E *esperar* quer dizer o que eu acho que quer dizer?"

"É."

"Quanto tempo?"

Ela dá de ombros. "Um mês. Três meses. Mais. A ciência não colocou nenhum limite em quanto tempo se pode esperar. Para sempre, talvez."

O gato dá um pulo em cima do cinto, mas a brincadeira acabou.

Ele se senta ao lado da filha; o gato pula para o chão, vai embora. Ele pega a mão da filha. Agora que está próxima, sente nela um cheiro amanhecido, de falta de banho. "Pelo menos, não vai ser para sempre, meu bem", ele diz. "Pelo menos isso você não vai ter de enfrentar."

Os carneiros passam o resto do dia perto do reservatório onde ele os amarrou. Na manhã seguinte, estão de volta ao terreno seco ao lado do estábulo.

Deverão ficar ali até o domingo de manhã, dois dias. Parece um jeito miserável de passar os dois últimos dias da vida. Coisas do campo — foi como Lucy chamou esse tipo de coisa. Ele tem outros nomes: indiferença, falta de coração. Se o campo pode julgar a cidade, a cidade pode julgar o campo também.

Ele pensou em comprar os carneiros de Petrus. Mas o que vai conseguir com isso? Petrus usaria o dinheiro para comprar outros animais para o abate e embolsaria a diferença. O que ele faria com os carneiros, quando os livrasse da escravidão? Libertá-los na via pública? Prendê-los no canil e alimentá-los com feno?

Parece ter nascido um vínculo entre ele e os dois persas, sem ele saber como. Um vínculo não de afeição. Um vínculo que não é nem com aqueles dois em particular, que ele não seria capaz de identificar no meio de um rebanho no campo. Mesmo assim, repentinamente e sem razão, a sorte dos dois passou a ser importante para ele.

Para diante deles, ao sol, esperando o zumbido em sua cabeça assentar, esperando um sinal.

Uma mosca está tentando entrar na orelha de um deles. A orelha se mexe. A mosca voa, circula, volta, pousa. A orelha torna a se mexer.

Ele dá um passo. O carneiro recua, inquieto, até o limite da corrente.

Lembra-se de Bev Shaw agradando o velho bode de testículos arrebentados, acariciando e confortando o bicho, penetrando na vida dele. Como ela consegue, essa comunhão com os animais? Um truque que ele não sabe. Para isso é preciso ser um certo tipo de pessoa, talvez, menos complicada.

O sol bate no seu rosto com todo o esplendor da primavera. Tenho de mudar?, ele pensa, Tenho de ficar como Bev Shaw?

Fala com Lucy: "Estou pensando nessa festa do Petrus. No fim das contas, eu preferia não ir. É possível não ir sem ser rude?".

"Alguma coisa a ver com os carneiros?"

"Sim. Não. Não mudei de ideia, se é o que você quer dizer. Continuo achando que os animais não têm vidas exatamente individuais. Qual deles vai viver, qual vai morrer, na minha opinião, não é assunto para ninguém se atormentar a respeito. Mesmo assim..."

"Mesmo assim?"

"Mesmo assim, neste caso, me incomodou. Não sei por quê."

"Bom, com toda certeza Petrus e os convidados dele não vão desistir das costeletas por deferência a você e suas sensibilidades."

"Não é isso que eu estou querendo. Só preferia não fazer parte da festa, não dessa vez. Desculpe. Nunca imaginei que ia acabar falando desse jeito."

"Os caminhos de Deus são misteriosos, David."

"Não caçoe de mim."

O sábado está se aproximando, dia de mercado. "Vamos armar a barraca?", ele pergunta a Lucy. Ela dá de ombros. "Você que sabe", diz. Ele não arma a barraca.

E não questiona a decisão dela; na verdade, fica aliviado.

Os preparativos para a festa de Petrus começam ao meio-dia do sábado com a chegada de meia dúzia de mulheres, vestidas com roupas que lhe parecem roupas de domingo. Atrás do estábulo acendem uma fogueira. O vento logo traz o fedor de vísceras fervidas, e ele conclui que já está feito, o duplo ato, tudo acabado.

Deve lamentar? Será apropriado lamentar a morte de seres que não lamentam entre si? Olhando o próprio coração, vê apenas uma vaga tristeza.

Perto demais, pensa: moramos perto demais de Petrus. É como repartir a casa com estranhos, repartir os barulhos, repartir os cheiros.

Bate na porta de Lucy: "Quer dar uma volta?", pergunta.

"Não, obrigada. Leve Katy."

Ele leva a buldogue, mas ela é tão lenta e desanimada que se irrita, leva-a de volta para a fazenda e sai sozinho para uma volta de oito quilômetros, andando depressa, tentando se cansar.

Às cinco horas, os hóspedes começam a chegar, de carro, de táxi, a pé. Ele fica olhando atrás da cortina da cozinha. A maioria é da geração do dono da casa, sóbrios, sólidos. Chega uma velha em torno de quem se forma uma agitação especial: Petrus, de terno azul e camisa rosa-berrante, desce o caminho todo para recebê-la.

Fica escuro antes de aparecerem os convidados mais jovens. A brisa traz o murmúrio de conversa, risos e música, música que ele associa com a Johannesburgo de sua própria juventude. Bem tolerável, pensa consigo, bem alegre até.

"Está na hora", Lucy diz. "Você não vai?"

Excepcionalmente, ela está usando um vestido comprido até o tornozelo e salto alto, um colar de contas de madeira pintada e brincos combinando. Ele não tem certeza se gosta do efeito.

"Tudo bem, eu vou. Estou pronto."

"Não trouxe nenhum terno?"

"Não."

"Então, pelo menos ponha uma gravata."

"Pensei que estivéssemos no campo."

"Mais razão ainda para se arrumar. É um grande dia na vida de Petrus."

Ela leva uma lanterna minúscula. Seguem a trilha até a casa de Petrus, pai e filha de braços dados, ela iluminando o caminho, ele levando o presente.

Diante da porta aberta param, sorrindo. Petrus não está por perto, mas uma menina com vestido de festa vem recebê-los e os faz entrar.

O velho estábulo não tem teto, nem piso de verdade, mas pelo menos é espaçoso e pelo menos tem eletricidade. Abajures e quadros nas paredes (os girassóis de Van Gogh, a dama de azul de Tretchikoff, Jane Fonda com o figurino de Barbarella, Doctor Khumalo marcando um gol) abrandam a desolação.

Os dois são os únicos brancos. Tem gente dançando, ao som do jazz africano tradicional que ele ouviu. Olhares curiosos acompanham os dois, talvez apenas por causa de sua touca.

Lucy conhece algumas mulheres. Começam as apresentações. Então, Petrus aparece ao lado deles. Ele não faz o papel do anfitrião solícito, nem oferece uma bebida, mas diz: "Chega de cachorro. Não sou mais o cachorreiro", coisa que Lucy prefere tomar como uma piada; então, está tudo bem.

"Trouxemos uma coisa para você", Lucy diz; "mas talvez deva dar para sua mulher. É para a casa."

Da área da cozinha, se é assim que chamam aquilo, Petrus convoca a mulher. É a primeira vez que ele a vê de perto. É jovem, mais jovem que Lucy, de rosto agradável mais do que bonito, tímida, evidentemente grávida. Aperta a mão de Lucy, mas não a dele, nem olha para os olhos dele.

Lucy diz algumas palavras em xhosa e entrega-lhe o pacote. Nesse ponto, já estão cercados por meia dúzia de convidados.

"Ela tem de desembrulhar", Petrus diz.

"É, você tem de desembrulhar", diz Lucy.

Delicadamente, cuidando para não rasgar o papel bonito

com sua estampa de bandolins e ramos de louro, a jovem esposa abre o pacote. É um tecido com uma bonita estampa achânti. "Obrigada", ela murmura em inglês.

"É uma colcha de cama", Lucy explica para Petrus.

"Lucy é a nossa benfeitora", Petrus diz; e depois, para Lucy: "Você é nossa benfeitora".

Uma palavra infeliz, ele acha, de duplo sentido, que estraga o momento. Mas como censurar Petrus? A língua que ele usa com tanto garbo está, se ele soubesse, cansada, frágil, roída por dentro, como se tivesse cupins. Só os monossílabos merecem confiança, e assim mesmo nem todos.

Que fazer? Nada que ele, um antigo professor de comunicações, possa imaginar. A não ser começar tudo de novo a partir do a-bê-cê. E quando as grandes palavras retornarem, reconstruídas, purificadas, merecedoras de confiança de novo, ele já estará morto há muito.

Estremece, como quando passa um anjo.

"O bebê, para quando estão esperando o bebê?", ele pergunta à mulher de Petrus.

Ela olha para ele sem entender.

"Para outubro", Petrus intervém. "O bebê vai chegar em outubro. A gente espera que seja menino."

"Ah. O que você tem contra meninas?"

"Estamos rezando para ser menino", Petrus diz. "É sempre melhor quando o primeiro é menino. Ele pode mostrar para as irmãs, mostrar a vida para elas. É." Ele faz uma pausa. "Menina é muito caro." Esfrega o polegar e o indicador. "Sempre dinheiro, dinheiro, dinheiro."

Faz tempo que ele não vê esse gesto. Usado por judeus, antigamente; dinheiro-dinheiro-dinheiro, com a mesma inclinação de cabeça significativa. Mas talvez Petrus use inocentemente esse retalho de tradição europeia.

"Meninos podem sair caro também", ele observa, fazendo a sua parte da conversa.

"Tem de comprar isto, tem de comprar aquilo", Petrus continua, pegando ritmo, sem escutar mais nada. "Hoje em dia, o homem não paga mais para a mulher. *Eu* pago." Ele passa uma mão por cima da cabeça da esposa; reservada, ela baixa os olhos. "*Eu* pago. Mas é antigo. Roupa, coisas bonitas, tudo a mesma coisa: pagar, pagar, pagar." Repete o gesto de esfregar os dedos. "Não, menino é melhor. A não ser a sua filha. Sua filha é diferente. Sua filha é tão boa quanto um menino. Quase!" Ele ri com a piada. "Ei, Lucy!"

Lucy sorri, mas ele sabe que ela está envergonhada. "Vou dançar", ela murmura, e se afasta.

Na pista, ela dança sozinha à maneira solipsista que agora parece ser moda. Um jovem logo se junta a ela, alto, solto de membros, vestido com capricho. Dança na frente dela, estalando os dedos, sorrindo, cortejando Lucy.

As mulheres estão começando a entrar, trazendo travessas de carne grelhada. O ar está cheio de aromas apetitosos. Chega um novo contingente de convidados, jovens, barulhentos, vivos, nada antiquados. A festa está começando a se animar.

Um prato de comida acaba vindo parar em suas mãos. Ele passa para Petrus. "Não", Petrus diz, "é para você. Senão a gente fica passando prato a noite inteira."

Petrus e a mulher ficam muito tempo com ele, tentando fazê-lo sentir-se em casa. Gente atenciosa, ele pensa. Gente do campo.

Dá uma olhada para Lucy. O jovem está dançando a poucos centímetros dela agora, levantando as pernas para o alto e batendo os pés, abrindo e fechando os braços, se divertindo.

O prato que está segurando contém dois pedaços de carneiro, uma batata assada, uma concha de arroz banhado em molho, uma fatia de abóbora. Ele encontra um banco para se apoiar, repartindo-a com um velho magrinho de olhos molhados. Vou comer isto aqui, ele diz para si mesmo. Vou comer isto aqui e pedir perdão depois.

Então, Lucy aparece ao seu lado, respiração acelerada, rosto tenso. "Vamos embora?", ela diz. "Eles estão aqui."

"Quem está aqui?"

"Vi um deles lá fora, nos fundos. David, não quero armar confusão, mas vamos embora imediatamente?"

"Segure isto aqui." Ele dá o prato para ela, e sai pela porta dos fundos.

Lá fora tem quase tanta gente quanto dentro, reunida em torno do fogo, conversando, bebendo, rindo. Do lado oposto da fogueira alguém está olhando fixamente para ele. Imediatamente as coisas se encaixam. Ele conhece aquele rosto, conhece intimamente. Abre caminho entre os corpos. *Vou armar confusão*, ele pensa. *Uma pena, justo neste dia. Mas tem coisa que não pode esperar.*

Planta-se na frente do rapaz. É o terceiro deles, o aprendiz de cara vazia, o que correu do cachorro. "Conheço você", ele diz, ameaçador.

O rapaz parece não se assustar. Ao contrário, o rapaz parecia estar esperando este momento, guardando-se para esse momento. A voz que sai da garganta dele está grossa de raiva. "Quem é você?", ele pergunta, mas as palavras querem dizer outra coisa: *Com que direito está aqui?* Todo o seu corpo irradia violência.

Petrus surge ao lado deles, falando depressa, em xhosa.

Ele pousa a mão na manga de Petrus. Petrus se cala, olha para ele impaciente. "Sabe quem é ele?", pergunta para Petrus.

"Não, não sei quem é esse", Petrus responde, furioso. "Não sei qual é o problema. Qual é o problema?"

"Ele, esse malandro, veio aqui antes, com os parceiros dele. Esse é um deles. *Ele* que conte como foi. *Ele* que conte por que é procurado pela polícia".

"Não é verdade!", o rapaz grita. Mais uma vez fala com Petrus, um fluxo de palavras raivosas. A música continua a flutuar no ar da noite, mas ninguém mais está dançando: os convidados de Petrus estão reunidos em torno deles, empurrando, se acotovelando, soltando interjeições. A atmosfera não é nada boa.

Petrus fala. "Ele diz que não sabe do que você está falando."

"Está mentindo. Sabe perfeitamente bem. E Lucy pode confirmar."

Mas é claro que Lucy não vai confirmar. Como ele pode esperar que Lucy apareça na frente desses estranhos, encare o rapaz, aponte um dedo e diga: *É, sim, é um deles. Um dos que fez o que fez.*

"Vou telefonar para a polícia", ele diz.

Um murmúrio de reprovação corre pela multidão.

"Vou telefonar para a polícia", ele repete para Petrus. O rosto de Petrus é de pedra.

Numa nuvem de silêncio, ele volta para dentro, onde Lucy está esperando, de pé. "Vamos", ele diz.

Os convidados abrem alas diante deles. Não têm mais o aspecto amigável. Lucy esqueceu a lanterna: eles se perdem no escuro; Lucy tem de tirar os sapatos; têm de passar pelos canteiros de batatas para chegar na casa.

Ele está com o telefone na mão quando Lucy o detém. "David, não, não faça isso. Petrus não tem nada a ver com isso. Se você chamar a polícia, vai acabar com a festa dele. Pense um pouco."

Ele fica perplexo, perplexo a ponto de gritar com a filha. "Pelo amor de Deus, como é que Petrus não tem nada a ver com isso? De uma forma ou de outra, foi ele que trouxe aqueles homens. E agora tem o descaramento de convidar de novo. O que eu posso pensar? Francamente, Lucy, não estou entendendo nada. Não entendi por que você não deu a queixa *real* contra eles, e agora não entendo por que está protegendo Petrus. Petrus não é inocente, Petrus está *do lado* deles."

"Não grite comigo, David. A vida é minha. Sou eu que moro aqui. O que aconteceu comigo é coisa minha, só minha, não sua, e se há uma coisa a que eu tenho direito é de não ser julgada desse jeito, de não ter de me justificar — nem com você, nem com ninguém. Quanto a Petrus, ele não é um trabalhador que eu possa despedir porque acho que está envolvido com as pessoas erradas. Isso tudo já passou, sumiu com o vento. Se quer brigar com Petrus, é melhor ter certeza dos fatos primeiro. Não pode chamar a polícia. Eu não admito. Espere até amanhã. Espere até ouvir o lado de Petrus nessa história."

"Mas nesse meio-tempo o rapaz vai sumir!"

"Não vai sumir. Petrus sabe quem é. E ninguém desaparece em Cabo Leste. Aqui não é assim."

"Lucy, Lucy, eu insisto! Você quer compensar os erros do passado, mas não é desse jeito. Se não enfrentar as coisas sozinha neste momento, nunca mais vai conseguir andar de cabeça erguida. É melhor fazer as malas e ir embora. E quanto à polícia, se você é delicada demais para chamar a polícia agora, não devia ter chamado antes. Devíamos ter calado a boca e esperado o próximo ataque. Ou cortado nossos próprios pescoços."

"Pare, David! Eu não tenho de me defender diante de você. *Você não sabe o que aconteceu.*"

"Não sei?"

"Não, nem imagina. Pare e pense um pouco. Quanto à polícia, não se esqueça por que nós chamamos a polícia: por causa do seguro. Fizemos um boletim de ocorrência, porque se não fizéssemos, o seguro não pagava."

"Lucy, você me espanta. Isso simplesmente não é verdade, e você sabe disso. E quanto a Petrus, eu repito: se você calar a boca agora, se deixar passar, não vai mais poder conviver consigo mesma. Você tem um dever consigo mesma, pelo futuro, por seu autorrespeito. Me deixe chamar a polícia. Ou chame você mesma."

"Não."

Não: era a última palavra de Lucy para ele. Ela se retira para o seu quarto, fecha a porta, deixa-o trancado para fora. Passo a passo, tão inexoravelmente quanto marido e mulher, ele e ela estão se afastando, e ele não pode fazer nada. As próprias brigas se transformaram nas implicâncias de um casal, encurralados, sem ter para onde ir. Como ela deve estar lamentando o dia em que ele veio viver com ela! Deve estar desejando que ele vá embora, quanto antes melhor.

Porém, ela também vai ter de ir embora, a longo prazo. Como mulher sozinha numa fazenda, ela não tem futuro, isso está claro. O próprio Ettinger, com suas armas e arame farpado e sistemas de alarme, está com os dias contados. Se Lucy tiver um pouco de senso, vai embora antes que lhe aconteça algo pior do que a morte. Mas é claro que não irá. É teimosa, e entrou de cabeça na vida que escolheu.

Ele sai da casa. Caminha cuidadosamente no escuro, aproximando-se do estábulo por trás.

A grande fogueira diminuiu, a música parou. Há um grupo de pessoas na porta de trás, uma porta larga o bastante para passar um trator. Ele olha por cima das cabeças.

No centro do espaço, está um dos convidados, um homem de meia-idade. Tem a cabeça raspada e um pescoço de touro; está de terno escuro e usa no pescoço uma corrente de ouro com uma medalha do tamanho de um punho, do tipo que os chefes costumavam usar como símbolo do seu posto. Símbolos fundidos aos magotes em Coventry ou Birmingham; com a cabeça da mal-humorada Vitória, *regina et imperatrix* impressa de um lado; e do outro, gnus ou íbis. Medalhas. Chefes, para o uso de. Despachadas para todo o Império: para Nagpur, Fidji, Costa do Ouro, Cafraria.

O homem está falando, discursando frases melodiosas que sobem e descem. Ele não faz ideia do que o homem está dizendo, mas de quando em quando há uma pausa e um murmúrio de aquiescência da plateia, na qual parece reinar, entre jovens e velhos, um clima tranquilo de satisfação.

Ele olha em volta. O rapaz está parado ali perto, na soleira da porta. Os seus olhos se voltam nervosos para ele. Outros olhos também se voltam para ele: para o estranho, para o proscrito. O homem da medalha franze a testa, faz uma pausa, levanta a voz.

Ele não se importa com a atenção que está recebendo. Que saibam que ainda estou aqui, pensa, que saibam que não estou me acovardando lá na casa grande. E se isso estraga a reunião, pouco importa. Ele levanta a mão até a touca branca. Pela primeira vez, fica contente de ter aquilo, de usar aquilo como uma coisa sua.

16.

Durante toda a manhã seguinte, Lucy o evita. O encontro com Petrus que ela havia prometido não acontece. Então, à tarde, o próprio Petrus vem bater na porta de trás, cerimonioso como sempre, usando botas e macacão. É hora de colocar as mangueiras, ele diz. Ele quer colocar mangueiras de PVC desde o reservatório até o local de sua nova casa, uma distância de duzentos metros. Pode levar as ferramentas? David pode ajudar com o regulador?

"Não sei de regulador nenhum. Não entendo nada de encanamento." Não está com vontade nenhuma de ser útil a Petrus.

"Não é encanamento", Petrus diz. "É mangueira. É só colocar as mangueiras."

A caminho do reservatório, Petrus fala de reguladores de vários tipos, de válvulas de pressão, de conexões; ele enuncia as palavras com floreio, exibindo seu conhecimento. A nova mangueira vai ter de atravessar a terra de Lucy, ele diz; foi bom ela ter dado permissão. Ela é "previdente". "Ela olha para a frente, não olha para trás."

Sobre a festa, sobre o rapaz de olhos inquietos, Petrus não fala nada. É como se nada tivesse acontecido.

O seu papel no reservatório logo fica esclarecido. Petrus não precisa dele para dar conselhos sobre encanamentos, mas para segurar coisas, para lhe passar ferramentas, para ser um *handlanger*, na verdade. Não é um papel que o desagrade. Petrus é um bom trabalhador, é instrutivo vê-lo trabalhando. É com o próprio Petrus que começou a antipatizar. Quando Petrus fala de seus planos, ele vai ficando mais seco. Não gostaria de ficar perdido numa ilha deserta junto com Petrus. Com toda certeza não gostaria de se casar com ele. Uma personalidade dominadora. A esposa nova parece feliz, mas imagina que histórias a velha esposa terá para contar.

Finalmente, quando não aguenta mais, ele corta o fluxo. "Petrus", diz, "aquele rapaz na sua casa ontem à noite — como é o nome dele e onde está agora?"

Petrus tira o boné, enxuga a testa. Hoje está usando um boné com um emblema prateado da Ferrovias e Portos Sul-Africanos. Parece ter uma coleção de chapéus.

"Sabe", Petrus diz, franzindo a testa, "David, é muito duro o que você está dizendo, que aquele rapaz é ladrão. Ele está muito zangado porque você chamou ele de ladrão. É isso que ele está falando para todo mundo. E eu, eu que tenho de acalmar as coisas. Fica difícil para mim também."

"Não tenho nenhuma intenção de envolver você nesse caso, Petrus. Me diga o nome do rapaz e onde está que eu passo a informação para a polícia. Aí, podemos deixar a polícia investigar e levar à justiça ele e os amigos. Você não vai se envolver, eu não vou me envolver, é uma questão de lei."

Petrus se espreguiça, banhando o rosto na luz do sol. "Mas o seguro vai dar um carro novo para você."

É uma pergunta? Uma afirmação? Qual é o jogo de Petrus?

"O seguro não vai me dar um carro novo", explica, tentando ser paciente. "Se ainda não tiver ido à falência com tanto roubo de carro neste país, o seguro vai me dar uma porcentagem do que acha que o meu carro valia. Não vai dar para comprar um carro novo. De qualquer forma, é uma questão de princípio. Não se pode deixar as companhias de seguro fazerem justiça. Não é para isso que elas servem."

"Mas você não vai conseguir o carro de volta com esse rapaz. Ele não tem como devolver seu carro. Ele não sabe onde está o seu carro. Seu carro já era. O melhor é você comprar um carro novo com o seguro, aí vai ter carro de novo."

Como é que foi dar nesse beco sem saída? Ele tenta um novo rumo. "Petrus, me diga uma coisa, esse rapaz é seu parente?"

"E por que", Petrus continua, ignorando a pergunta, "você quer entregar esse rapaz para a polícia? Ele é moço demais, não podem botar na cadeia."

"Se tiver dezoito anos pode ser processado. Se tiver dezesseis pode ser processado."

"Não, não, ele não tem dezoito."

"Como é que você sabe? Para mim ele parece ter dezoito, parece até mais de dezoito."

"Eu sei, eu sei! Ele é só um rapaz, não pode ir para a cadeia, essa é a lei, não pode botar um jovem na cadeia, tem de soltar!"

Para Petrus, isso parece encerrar a discussão. Ele se apoia pesadamente sobre um joelho e começa a trabalhar no acoplamento com a mangueira de saída.

"Petrus, minha filha quer ser uma boa vizinha. Uma boa cidadã e uma boa vizinha. Ela adora Cabo Leste. Quer fazer a vida dela aqui, quer se dar bem com todo mundo. Mas como dá para fazer isso, se a qualquer momento pode ser atacada por bandidos que escapam sem castigo? Você deve entender isso!"

Petrus está batalhando para conseguir o acoplamento. A pele de suas mãos apresenta rachaduras fundas, duras; ele geme um pouco enquanto trabalha; não dá sinal de ter escutado.

"Lucy está protegida aqui", anuncia de repente. "Está tudo bem. Pode deixar que ela está protegida."

"Mas não está segura, não, Petrus! É claro que não está! Você sabe o que aconteceu aqui no dia vinte e um."

"Sei, sei o que aconteceu. Mas agora está tudo bem."

"Quem disse que está tudo bem?"

"Eu disse."

"Você? Você vai proteger Lucy?"

"Eu vou proteger."

"Você não protegeu essa última vez."

Petrus passa mais graxa na mangueira.

"Você diz que sabe o que aconteceu, mas não protegeu Lucy essa última vez", ele repete. "Você saiu, e aqueles três bandidos apareceram, e agora parece que você é amigo de um deles. O que é que eu posso concluir disso?"

É o mais perto que chegou de acusar Petrus. Mas por que não?

"O rapaz não tem culpa", Petrus diz. "Não é criminoso. Não é ladrão."

"Não é só de roubo que eu estou falando. Teve outro crime também, um crime muito mais pesado. Você disse que sabe o que aconteceu. Então sabe do que eu estou falando."

"Ele não tem culpa. É menino demais. Foi só um grande erro."

"Você sabe?"

"Sei." A mangueira engata. Petrus fecha a braçadeira, aperta, endireita o corpo, as costas. "Eu sei. Estou dizendo. Sei."

"Você sabe. Você sabe o futuro. O que eu posso dizer? Você falou, está falado. Vai precisar de mim aqui ainda?"

"Não, agora está fácil, agora é só enterrar a mangueira."

Apesar da confiança de Petrus nas companhias de seguro, não vem nenhuma resposta ao seu pedido. Sem carro, ele se sente encurralado na fazenda.

Em uma de suas tardes na clínica, desabafa com Bev Shaw. "Lucy e eu não estamos nos entendendo", diz. "Nada de mais, acho. Pais e filhos não foram feitos para viver juntos. Em circunstâncias normais eu já teria ido embora, voltado para a Cidade do Cabo. Mas não posso deixar Lucy sozinha com a fazenda. Não é seguro. Estou tentando convencer Lucy a passar as coisas para Petrus e tirar umas férias. Mas ela não quer me ouvir."

"A gente tem de deixar os filhos irem embora, David. Não vai poder ficar cuidando de Lucy para sempre."

"Eu já deixei Lucy ir embora faz tempo. Fui o menos protetor dos pais. Mas nesta situação é diferente. Lucy está claramente em perigo. Tivemos uma demonstração disso."

"Vai ficar tudo bem. Petrus vai pôr Lucy debaixo da asa dele."

"Petrus? Que interesse Petrus tem em botar Lucy debaixo da asa?"

"Você está subestimando Petrus. Ele se escravizou para fazer a horta dela produzir para o mercado. Sem Petrus, Lucy não estaria onde está agora. Não estou dizendo que ela deve tudo a ele, mas deve muito."

"Pode ser. Mas o problema é: o que Petrus deve a ela?"

"Petrus é um bom sujeito. Ela pode contar com ele."

"Contar com Petrus? Só porque ele usa barba, fuma cachimbo e anda com um cajado, você acha que Petrus é um cafre da velha guarda. Mas não é nada disso. Petrus não é nenhum cafre da velha guarda, e muito menos um bom sujeito. Na minha opinião, Petrus está louco para Lucy dar o fora. Se quer uma prova disso, basta ver o que aconteceu com Lucy e comigo. Pode não ter sido ideia de Petrus, mas ele sem dúvida fechou os olhos, ele sem dúvida não nos alertou, ele sem dúvida tomou todas as providências para não estar por perto."

Sua veemência surpreende Bev Shaw. "Pobre Lucy", ela sussurra, "está passando por tanta coisa!"

"Eu sei o que ela passou. Eu estava lá."

De olhos arregalados, ela olha para ele. "Mas você não estava lá, David. Ela me contou. Você não estava."

Você não estava lá. Não sabe o que aconteceu. Ele fica perplexo. Onde, segundo Bev Shaw, segundo Lucy, ele não estava? No quarto onde os intrusos estavam cometendo suas barbaridades? Elas acham que ele não sabe o que é estupro? Acham que ele não sofreu com sua filha? O que mais poderia ter visto que não seja capaz de imaginar? Ou será que acham que, quando se trata de estupro, um homem nunca está na posição da mulher? Qualquer que seja a resposta, ele está enfurecido, enfurecido de ser tratado como alguém de fora.

Ele compra uma pequena televisão para substituir a que foi roubada. Todas as noites, depois do jantar, ele e Lucy sentam-se lado a lado no sofá, assistem ao noticiário e depois, se conseguem aguentar, aos programas de variedades.

É verdade, a visita está durando demais, na opinião dele e na de Lucy. Ele está cansado de viver com as coisas na mala, cansado de ouvir o som do cascalho no jardim o tempo inteiro. Quer voltar a sentar em sua própria mesa, dormir em sua cama. Mas a Cidade do Cabo está muito longe, é quase um outro país.

Apesar do conselho de Bev, apesar das promessas de Petrus, apesar da teimosia de Lucy, ele não está pronto para abandonar a filha. É ali que ele vive, por ora: nesse tempo, nesse lugar.

Recuperou totalmente a visão do olho. O couro cabeludo está cicatrizando; não precisa mais usar o curativo oleoso. Só a orelha ainda exige cuidados diários. Portanto, o tempo realmente cura tudo. É de se esperar que Lucy esteja sarando também, ou se não sarando pelo menos esquecendo, desenvolvendo uma cicatriz em volta da lembrança daquele dia, encobrindo, lacrando a lembrança. De modo que um dia possa dizer "No dia que fomos roubados", e pensar nisso apenas como o dia em que foram roubados.

Ele tenta passar as horas do dia fora, para deixar Lucy respirando à vontade na casa. Trabalha no quintal; quando se cansa, senta-se ao lado da represa, assistindo às idas e vindas da família de patos, meditando sobre o projeto Byron.

O projeto não sai do lugar. Tudo o que ele consegue formular são fragmentos. As primeiras palavras do primeiro ato ainda lhe resistem; as primeiras notas continuam mais fugidias que fumaça. Às vezes, teme que os personagens da história, que há mais de um ano são seus companheiros invisíveis, estejam começando a se desmanchar. Até o mais atraente deles, Margarita Cogni, cuja voz de contralto ele anseia por ouvir no ataque que desfecha contra a amante de Byron, Teresa Guiccioli, está desaparecendo. Essa perda o enche de desespero, um desespero sombrio, uniforme e sem importância, generalizado, como uma dor de cabeça.

Ele vai à clínica de Bem-estar dos Animais sempre que pode, se oferecendo para qualquer trabalho que não exija conhecimentos específicos: alimentar os bichos, lavar, passar o rodo.

Os animais de que cuidam na clínica são principalmente cachorros, com menor frequência gatos; para o gado, a Aldeia D parece ter seus próprios conhecimentos veterinários, sua própria farmacopeia, seus próprios curandeiros. Os cachorros que aparecem sofrem de diarreia, fraturas, mordidas infeccionadas, sarna, negligência, benigna ou maligna, velhice, desnutrição, parasitas intestinais, mas principalmente da própria fertilidade. São simplesmente demasiados. Quando as pessoas trazem um cachorro, não dizem "Trouxe este cachorro para sacrificar", mas é isso que esperam: que tomem conta dele, que o façam desaparecer, que o despachem para o nada. O que estão pedindo de fato é *Lösung* (o alemão sempre presente com uma abstração vazia e adequada): sublimação, como o álcool é sublimado da água, sem deixar resíduo, sem deixar nem um gosto.

Por isso nas tardes de domingo a porta da clínica é fechada e trancada, enquanto ele ajuda Bev Shaw a *lösen* os cães supérfluos da semana. Ele pega um por vez da gaiola dos fundos e os leva ou carrega para a sala de operações. A cada um Bev dedica toda a atenção, naqueles momentos que serão os seus últimos, acariciando, conversando, facilitando a passagem. Se, na maior parte das vezes, os cachorros não se deixam encantar, é por causa de sua presença: ele emana o odor errado (*eles farejam os nossos pensamentos*), o cheiro da vergonha. E, no entanto, é ele que segura o cachorro enquanto a agulha procura a veia e a droga atinge o coração, as pernas cedem e os olhos se fecham.

Achou que ia acabar se acostumando. Mas não é isso que acontece. Quanto mais mortes ajuda, mais nervoso fica. Numa noite de domingo, ao voltar para casa dirigindo a kombi de Lucy, chega a ter de parar no acostamento para se recuperar. As lágrimas lhe correm pelo rosto sem que possa controlar, as mãos tremem.

Não entende o que está lhe acontecendo. Até agora havia sido sempre mais ou menos indiferente a animais. Embora reprove abstratamente a crueldade, é incapaz de dizer se é cruel ou bondoso por natureza. Simplesmente não é nada. Sempre achou que as pessoas cujo trabalho exige a crueldade, pessoas que trabalham em matadouros, por exemplo, desenvolvem uma carapaça em volta da alma. O hábito endurece: deve ser assim na maioria dos casos, mas não parece ser assim no seu caso. Parece não ter o dom do endurecimento.

Todo o seu ser fica tomado pelo que acontece naquela arena. Está convencido de que os cachorros sabem que chegou a sua hora. Apesar do silêncio e do procedimento indolor, apesar dos bons pensamentos que Bev Shaw fica pensando e que ele tenta pensar, apesar dos sacos hermeticamente fechados em que colocam os corpos, os cachorros do quintal farejam o que acontece lá dentro. Baixam as orelhas, enfiam o rabo entre as pernas, como se também eles sentissem a desgraça que é morrer; travam as pernas e têm de ser empurrados, puxados ou carregados para a porta. Na mesa, alguns se debatem furiosamente de um lado para outro, outros soltam ganidos melancólicos; nenhum olha para a agulha na mão de Bev, que de alguma forma sabem que vai lhes fazer um mal terrível.

O pior são aqueles que farejam e tentam lamber sua mão. Não gostou nunca de ser lambido, e seu primeiro impulso é tirar a mão. Por que fingir ser camarada, quando na verdade se é assassino? Mas ele acaba cedendo. Por que a criatura que está sob a sombra da morte teria de sentir que ele recua como se o seu contato fosse repulsivo? Então deixa que o lambam, se quiserem, assim como Bev Shaw os acaricia e beija se eles deixam.

Espera não se descobrir um sentimental. Tenta não sentimentalizar os animais que mata, ou sentimentalizar Bev Shaw. Evita dizer para ela "Não sei como consegue fazer isso", para não ter de ouvir a resposta, "Alguém tem de fazer". Não descarta inteiramente a possibilidade de, em um nível mais profundo, Bev Shaw ser não um anjo libertador, mas um diabo, de por baixo das mostras de compaixão ela esconder um coração mais duro que o de um açougueiro. Ele tenta manter a cabeça aberta.

Como é Bev Shaw quem se encarrega de enfiar a agulha, ele é o que se encarrega de se desfazer dos restos. Nas manhãs seguintes à sessão de sacrifícios, dirige a kombi carregada até o incinerador do Hospital Settlers, e ali entrega às chamas os corpos dentro dos sacos pretos.

Seria mais simples colocar os sacos no carrinho do incinerador logo depois da sessão e deixá-los ali para o pessoal da incineração cuidar deles. Mas isso significaria deixá-los no depósito junto com o lixo do fim de semana: restos das alas do hospital, carniça coletada na beira da estrada, refugos malcheirosos do curtume — uma mistura ao mesmo tempo fortuita e terrível. Ele não tem coragem de impor essa desonra aos cachorros.

Por isso, nas noites de domingo leva os sacos para a fazenda na parte de trás da kombi de Lucy, passam a noite ali e na segunda-feira de manhã vão para o hospital. Lá, ele próprio os descarrega, um de cada vez, para o carrinho de transporte, liga o mecanismo que leva o carrinho através da porta de aço para as chamas, puxa a alavanca para esvaziar o conteúdo e desliga de volta, enquanto os funcionários cuja função é fazer exatamente isso ficam olhando.

Na primeira segunda-feira, deixou que eles fizessem a incineração. O *rigor mortis* havia endurecido os corpos durante a noite. As pernas mortas ficavam presas nas barras do carrinho, e quando o carrinho voltava da fornalha quase sempre um cachorro voltava também, enegrecido e com dentes à mostra, cheirando a pelo queimado, a cobertura de plástico incinerada. Depois de algum tempo, os funcionários começaram a bater nos sacos com o cabo das pás antes de carregá-los, para quebrar os membros rígidos. Foi quando ele interveio e passou a fazer ele mesmo o trabalho.

O incinerador é alimentado a antracito, com um ventilador elétrico que suga ar pelos tubos; ele acha que deve ser dos anos 1950, quando o hospital foi construído. Opera seis dias por semana, de segunda a sábado. No sétimo dia, descansa. Quando o pessoal chega para trabalhar, a primeira coisa que faz é remover as cinzas do dia anterior, antes de carregar a fornalha. Por volta das nove da manhã, a temperatura da câmara interna é de mil graus centígrados, quente o bastante para calcificar ossos. O fogo é alimentado até o meio da manhã; leva toda a tarde para esfriar.

Ele não sabe o nome do pessoal e tampouco sabem o dele. Para eles é simplesmente o sujeito que começou a vir às segundas-feiras com os sacos da Bem-estar dos Animais e que chega cada vez mais cedo. Chega, faz seu trabalho, vai embora; não faz parte da sociedade que, apesar da cerca de arame farpado, do portão com cadeado e do aviso em três línguas, tem como centro o incinerador.

Pois a cerca há muito foi cortada; o portão e a placa de aviso simplesmente são ignorados. Quando os funcionários chegam de manhã com os primeiros sacos de lixo do hospital, um grupo de mulheres e crianças já está esperando para catar seringas, alfinetes, bandagens laváveis, qualquer coisa que dê para fazer dinheiro, mas principalmente comprimidos, que vendem nas lojas *muti*, de negros, ou nas ruas. Há também os vagabundos que passam o dia nos arredores do hospital e de noite dormem encostados na parede do incinerador, ou até mesmo dentro do túnel, por causa do calor.

Não é uma sociedade a que pense juntar-se. Mas quando está ali, eles também estão; e se o que ele traz não lhes interessa, é porque os pedaços de um cachorro morto não servem nem para vender, nem para comer.

Por que assumiu esse trabalho? Para aliviar a carga de Bev Shaw? Para isso bastava descarregar os sacos no depósito e ir embora. Por causa dos cachorros? Mas os cachorros estão mortos; e o que sabem os cachorros acerca de honra e desonra?

Por ele mesmo, então. Por sua visão de mundo, por um mundo em que homens não usam pás para reduzir corpos a uma forma mais conveniente de eliminar.

Os cachorros são levados à clínica porque são indesejados: *porque somos demais*. É aí que ele entra em suas vidas. Pode não ser seu salvador, aquele para quem não são excessivos, mas está preparado para cuidar deles, uma vez que são incapazes, totalmente incapazes, de cuidar de si mesmos, uma vez que até mesmo Bev Shaw lavou as mãos do destino deles. Um cachorreiro, Petrus se intitulou certa vez. Bom, ele agora se transformou em cachorreiro: um agente funerário canino; um psicopompo; um *harijan*.

Curioso que um homem tão egoísta como ele possa estar se oferecendo para servir a cachorros mortos. Deve haver alguma outra maneira, mais produtiva, de se dar para o mundo, ou para uma visão de mundo. Podia, por exemplo, trabalhar mais horas na clínica. Podia tentar convencer as crianças do depósito de lixo a não encher seus corpos de venenos. Mesmo dedicar-se mais decididamente ao libreto de Byron poderia ser considerado, de certa forma, mais construtivo como serviço prestado à humanidade.

Mas há outras pessoas para fazer essas coisas — o bem-estar dos animais, a reabilitação social, até mesmo o libreto de Byron. Ele preserva a honra dos cadáveres porque nenhum outro idiota se dispõe a fazer isso. Isso é o que está virando: idiota, maluco, miolo mole.

17.

Seu trabalho na clínica acabou nesse domingo. A kombi está carregada com sua carga morta. Como última tarefa, está passando pano no chão da sala de operação.

"Eu faço isso", diz Bev Shaw, entrando do quintal. "Você deve estar querendo ir embora."

"Não tenho pressa."

"Mesmo assim. Deve estar acostumado com outro tipo de vida."

"Outro tipo de vida? Eu não sabia que a vida vem em tipos."

"O que eu quero dizer é que você deve achar a vida muito chata aqui. Deve sentir falta das suas amizades. Deve sentir falta de companhia feminina."

"Companhia feminina, sei. Lucy deve ter contado por que foi que eu saí da Cidade do Cabo. Não tive muita sorte com a companhia feminina lá."

"Você não devia ser duro com ela."

"Duro com Lucy? Eu nem penso em ser duro com Lucy."

"Não com Lucy, com a jovem da Cidade do Cabo. Lucy contou que você teve uma porção de problemas por causa de uma jovem."

"É, uma jovem. Mas quem arrumou os problemas fui eu. E a jovem em questão teve tantos problemas quanto eu."

"Lucy contou que você teve de se demitir do posto na universidade. Deve ter sido difícil. Não lamenta o que aconteceu?"

Que xereta! Engraçado como o arzinho de escândalo excita as mulheres. Será que essa criaturinha sem graça acha que ele é incapaz de chocá-la? Ou será que ficar chocada é outra coisa que ela toma como dever, como uma freira que se deita para ser violada para que a cota de violação do mundo seja reduzida?

"Se eu lamento? Não sei. Foi o que aconteceu na Cidade do Cabo que me trouxe para cá. Não estou infeliz aqui."

"Mas na hora que aconteceu... Você não lamentou na hora?"

"Na hora? Quer dizer, no calor do ato? Claro que não. No calor do ato não se tem dúvidas. Tenho certeza que você sabe muito bem disso."

Ela enrubesce. Faz muito tempo que ele não vê uma mulher de meia-idade enrubescer tão completamente. Até a raiz dos cabelos.

"Deve achar Grahamstown muito sossegada", ela murmura. "Em comparação."

"Grahamstown não me interessa. Pelo menos estou longe da tentação. Além disso, não moro em Grahamstown. Moro numa fazenda com minha filha."

Longe da tentação: grossura dizer isso a uma mulher, mesmo sem graça. Mas não sem graça para todo mundo. Deve ter havido um momento em que Bill Shaw viu alguma coisa na jovem Bev. E outros homens também, talvez.

Tenta imaginá-la vinte anos mais moça, quando o rosto equilibrado naquele pescoço curto era desavergonhado e as sardas da pele, despretensiosas, saudáveis. Num impulso, estende a mão e passa um dedo pelos lábios dela.

Ela baixa os olhos, mas não recua. Ao contrário, corresponde, roçando os lábios na mão dele, pode-se dizer, beijando mesmo, enquanto enrubesce furiosamente.

É tudo o que acontece. Não passam disso. Sem dizer mais nenhuma palavra ele sai da clínica. Atrás de si, ouve quando ela apaga as luzes.

Na tarde seguinte, ela telefona. "Podemos nos encontrar na clínica às quatro horas", diz. Não uma pergunta, mas uma comunicação, feita em voz alta, tensa. Ele quase pergunta "Por quê?", mas tem o bom senso de calar. Mesmo assim fica surpreso. É capaz de apostar que ela nunca passou por isso antes. Deve ser assim que, em sua inocência, ela acha que se pratica adultério: com a mulher telefonando para o admirador, declarando-se disposta.

A clínica não abre às segundas-feiras. Ele entra, e gira a chave na fechadura. Bev Shaw está na sala de operações, de pé, de costas para ele. Toma-a nos braços; ela roça a orelha contra o seu queixo; os lábios dele roçam os cachinhos de seu cabelo. "Tem cobertores", diz ela. "No armário. Na prateleira de baixo."

Dois cobertores, um rosa, um cinzento, trazidos de casa escondidos por uma mulher que na última hora deve ter tomado banho, passado pó e se ungido, se preparando; que, pelo que ele depreende, tem se empoado e ungido todo domingo, guardando cobertores no armário, para uma eventualidade. Que acha, como ele vem da cidade grande, como seu nome está ligado a um escândalo, que deve fazer amor com muitas mulheres, que espera que toda mulher no seu caminho queira fazer amor com ele.

A escolha é entre a mesa de operações ou o chão. Ele estende os cobertores no chão, o cinzento embaixo, o rosa em cima. Apaga a luz, sai da sala, verifica se a porta de trás está trancada, espera. Ouve o farfalhar de roupas enquanto ela se despe. Bev. Nunca sonhou que iria para a cama com Bev.

Ela está deitada debaixo do cobertor só com a cabeça de fora. Mesmo na penumbra, a visão não é nada sedutora. Despindo a cueca, ele se põe ao lado dela, passa a mão pelo corpo dela. Não se pode dizer que tenha seios. É sólida, quase sem cintura, como uma banheira atarracada.

Ela agarra a mão dele, entrega-lhe alguma coisa. Um preservativo. Tudo premeditado, do começo ao fim.

Da união, ele pode ao menos dizer que cumpre seu dever. Sem paixão, mas também sem desgosto. De tal forma que, no fim, Bev Shaw pode ficar satisfeita consigo mesma. Tudo o que ela pretendia cumpriu-se. Ele, David Lurie, foi socorrido, como um homem é socorrido por uma mulher; sua amiga Lucy Lurie foi ajudada com uma visita difícil.

Que eu não me esqueça deste dia, ele diz a si mesmo, deitado ao lado dela quando terminam. Depois da carne doce e jovem de Melanie Isaacs é isto o que me resta. É com isto que tenho de me acostumar, isto e até menos que isto.

"É tarde", diz Bev Shaw. "Tenho de ir."

Ele afasta o cobertor e se levanta, sem fazer nenhum esforço para se esconder. Que ela se farte de olhar seu Romeu, pensa, com seus ombros caídos e canelas finas. É tarde mesmo. No horizonte paira um último fulgor vermelho; a lua espreita no alto; há fumaça no ar; logo depois de uma faixa de terra seca, das primeiras alas de casebres, vem o murmúrio de vozes. Na porta, Bev se apoia contra ele uma última vez, pousa a cabeça em seu peito. Ele deixa que ela o faça, como deixou que fizesse tudo o que sentiu vontade de fazer. Vem-lhe à cabeça Emma

Bovary desfilando na frente do espelho depois de sua primeira grande tarde. *Tenho um amante! Tenho um amante!*, Emma canta para si mesma. Que a pobre Bev Shaw vá para casa e cante um pouco também. E ele que pare de chamá-la de pobre Bev Shaw. Se ela é pobre, ele está à míngua.

18.

Petrus arrumou um trator emprestado, de quem, ele não faz a menor ideia, ao qual acoplou o arado rotativo que está enferrujando atrás do estábulo desde antes do tempo de Lucy. Em questão de horas arou sua terra inteira. Tudo muito rápido e prático; tudo de um jeito pouco africano. Nos velhos tempos, quer dizer, dez anos atrás, teria levado dias com um arado manual e uma junta de bois.

Que chance tem Lucy diante desse novo Petrus? Ele chegou como peão de enxada, de transporte, de água. Agora está ocupado demais para essas coisas. Onde Lucy vai encontrar alguém para cavar, para transportar, para aguar? Se fosse um jogo de xadrez, ele diria que Lucy está fechada em todas as frentes. Se tivesse juízo, desistia: procurar o Banco da Terra, fazer um acordo, passar a fazenda para Petrus, voltar à civilização. Podia abrir um hotel para cães no subúrbio; podia ter uma ala para gatos. Podia até voltar a fazer o que ela e seus amigos faziam nos dias de hippie: tecelagem étnica, pintura de cerâmica étnica, cestaria étnica; vender contas aos turistas.

Derrotada. Não é difícil imaginar Lucy dentro de dez anos: uma mulher pesada, com rugas de tristeza no rosto, tecendo roupas há muito fora de moda, conversando com os bichos de estimação, comendo sozinha. Uma vida sem graça. Mas melhor que passar os dias temendo o próximo ataque, em que os cachorros não conseguirão protegê-la e ninguém atenderá ao telefone.

Ele vai até Petrus, no local que Petrus escolheu para sua nova residência, uma ligeira encosta que dá para a casa da fazenda. O agrimensor já compareceu, as estacas estão em seus lugares.

"Você não vai construir sozinho, vai?", pergunta.

Petrus ri. "Não, é trabalho especializado, construir", responde. "Assentar tijolo, massear, isso tudo, tem de saber. Não, vou cavar o alicerce. Isso eu posso fazer sozinho. Não tem de ter prática, é coisa de menino. Para cavar basta um menino."

Petrus diz a palavra com gosto real. Ele uma vez foi menino, agora não é mais. Agora, ele pode brincar de ser, como Maria Antonieta brincava de ser ordenhadeira.

Ele diz a que veio. "Se Lucy e eu voltarmos para a Cidade do Cabo, você é capaz de cuidar da parte dela da fazenda? A gente pode pagar um salário para você, ou combinar na base da porcentagem. Uma porcentagem dos lucros."

"Eu tendo de cuidar da fazenda de Lucy", Petrus diz. "Eu sendo *administrador da fazenda*." Ele pronuncia as palavras como se nunca as tivesse ouvido antes, como se tivessem surgido como um coelho de dentro de uma cartola.

"É, você pode usar esse nome, administrador, se quiser."

"E Lucy um dia volta."

"Tenho certeza que volta. Ela está muito ligada a esta fazenda. Não tem nenhuma intenção de desistir. Mas não tem sido fácil ultimamente. Ela precisa de um tempo. Umas férias."

"Na praia", Petrus diz, e sorri, mostrando dentes amarelos de tabaco.

"É, na praia, se ela quiser." Ele se irrita com o costume que Petrus tem de deixar as palavras no ar. Houve um momento em que pensou que podia ficar amigo de Petrus. Agora, o detesta. Conversar com Petrus é como socar um saco cheio de areia. "Acho que nem eu nem você temos o direito de questionar Lucy se ela resolver tirar umas férias", ele diz. "Nem eu nem você."

"Quanto tempo eu vou ter de administrar a fazenda?"

"Ainda não sei, Petrus. Não conversei com Lucy, só estou estudando a possibilidade, vendo se você gostaria."

"E eu tenho de fazer tudo, dar comida para os cachorros, plantar as verduras, ir no mercado..."

"Petrus, não precisa fazer uma lista. Não tem cachorros. Estou falando em termos gerais, se Lucy tirar férias, você estaria disposto a cuidar da fazenda?'

"Como é que eu vou no mercado se não tem a kombi?"

"Isso é um detalhe. Os detalhes a gente discute depois. Quero uma resposta geral, sim ou não."

Petrus sacode a cabeça. "É demais, demais", ele diz.

De repente, vem um telefonema da polícia, do sargento-detetive Esterhuyse, de Port Elizabeth. Seu carro foi encontrado. Está no pátio da delegacia de New Brighton, onde ele pode ir fazer a identificação e a coleta. Foram presos dois homens.

"Ótimo", diz. "Eu já tinha quase desistido."

"Não, senhor, o processo fica correndo durante dois anos."

"Em que condições está o carro? Dá para dirigir?"

"Dá, dá para dirigir."

Num estado de excitação desconhecido, ele vai com Lucy até Port Elizabeth e daí para New Brighton, onde seguem as orientações até a Van Deventer Street, a uma delegacia achatada, como uma fortaleza, cercada por um muro de dois metros, encimado com arame farpado. Placas eloquentes proíbem o estacionamento na frente da delegacia. Estacionam mais abaixo.

"Eu espero no carro", Lucy diz.

"Tem certeza?"

"Não gosto desse lugar. Eu espero."

Ele se apresenta no plantão, é levado por um labirinto de corredores até o Departamento de Roubo de Veículos. O sargento-detetive Esterhuyse, um homenzinho loiro, rechonchudo, procura entre as pastas, depois o leva para um pátio onde há filas de veículos estacionados um grudado no outro. Eles vão e voltam pelas filas.

"Onde encontraram?", pergunta a Esterhuyse.

"Aqui em New Brighton. Foi sorte. Geralmente os Corolla mais velhos eles desmancham para vender as partes."

"O senhor disse que fez prisões."

"Dois caras. Chegamos até eles por uma denúncia. Achamos uma casa cheia de objetos roubados. TVs, vídeos, geladeiras, de tudo."

"Onde estão esses homens agora?"

"Foram libertados sob fiança."

"Não teria sido mais correto me chamar antes de eles serem libertados, para eu fazer a identificação? Agora que estão em liberdade vão simplesmente desaparecer. O senhor sabe disso."

O detetive fica duro, em silêncio.

Eles se detêm na frente de um Corolla branco. "Esse não é o meu carro", ele diz. "Meu carro tem placa CA. Está escrito no processo." Aponta o número na página CA 507644.

"Eles pintam de outra cor. Botam placas falsas. Mudam as placas."

"Mesmo assim, não é meu carro. Posso abrir?"

O detetive abre o carro. O interior tem cheiro de jornal molhado e frango frito.

"Eu não tenho som", ele diz. "Não é o meu carro. Tem certeza que o meu carro não está em algum outro ponto do pátio?"

Completam o giro pelo pátio. O carro não está ali. Esterhuyse coça a cabeça. "Vou verificar", diz. "Deve ser alguma confusão. Deixe seu telefone que eu ligo."

Lucy está sentada à direção da kombi, de olhos fechados. Ele bate na janela e ela abre a porta. "Tudo errado", ele diz, entrando. "Acharam um Corolla, mas não é o meu."

"Viu os homens?"

"Homens?"

"Você disse que tinham prendido dois homens."

"Estão soltos de novo, sob fiança. De qualquer jeito, não é o meu carro, portanto quem foi preso não é quem roubou o meu carro."

Faz-se um longo silêncio. "Será uma conclusão lógica?", ela pergunta.

Liga o carro, agarra a direção.

"Não sabia que você estava tão ansiosa para eles serem presos", ele diz. Escuta a irritação na própria voz, mas não faz nada para disfarçar. "Se forem presos isso implica um processo e tudo que vem junto com um processo. Você vai ter de testemunhar. Está pronta para isso?"

Lucy desliga o motor. Seu rosto está tenso enquanto ela luta com as lágrimas.

"Seja como for, a pista está fria. Nossos amigos não vão ser presos, não com a polícia nesse estado. Portanto, melhor esquecer tudo."

Ele se controla. Está ficando um chato, ranzinza, mas não há nada a fazer a respeito. "Lucy, está na hora de você encarar as suas opções. Ou fica numa casa cheia de memórias horríveis e continua remoendo o que aconteceu com você, ou supera o episódio todo e começa um novo capítulo em algum outro lugar. No meu entender, são essas as alternativas. Sei que você gostaria de ficar, mas não devia pelo menos pensar em uma outra possibilidade? Será que nós dois não podemos ter uma conversa racional?"

Ela sacode a cabeça. "Não posso falar mais, David, não posso", ela diz, baixo, depressa, como se tivesse medo de que as palavras secassem. "Sei que não estou sendo clara. Gostaria de poder explicar. Mas não posso. Porque você é você e eu sou eu, não posso. Desculpe. E sinto muito pelo seu carro. Sinto muito pela sua decepção."

Ela pousa a cabeça nos braços; seus ombros se sacodem quando ela se rende.

Mais uma vez o sentimento o invade: desânimo, indiferença, mas também falta de peso, como se ele tivesse sido devorado por dentro e do seu coração só restasse uma concha erodida. Pensa consigo mesmo: como um homem neste estado pode encontrar palavras, pode encontrar música para chamar de volta os mortos?

Sentada na sarjeta a menos de cinco metros deles, uma mulher de chinelo e vestido esfarrapado está olhando ferozmente para os dois. Ele põe uma mão protetora no ombro de Lucy. *Minha filha*, pensa. *Minha filha querida. Que me coube guiar no mundo. Que um dia desses vai ter de me guiar.*

Será que ela fareja seus pensamentos?

É ele que dirige. Na metade do caminho de volta para casa, Lucy, para surpresa dele, fala. "Foi tão pessoal", ela diz. "Foi tudo feito com um ódio tão pessoal. Foi isso o que mais me chocou. O resto era... de se esperar. Mas por que eles me odiavam assim? Nunca tinha visto nenhum deles."

Ele espera mais, mas não há mais, de momento. "É a história falando por meio deles", ele arrisca, afinal. "Uma história de exploração. Pense nisso, se ajuda alguma coisa. Pode ter parecido pessoal, mas não era. Vem desde os ancestrais."

"Isso não ajuda nada. O choque simplesmente não vai embora. O choque de ser odiada. No ato."

No ato. Será que ela quer dizer o que ele está pensando?

"Você ainda tem medo?", ele pergunta.

"Tenho."

"Medo de que eles voltem?"

"É."

"Pensou que se não desse queixa na polícia eles não voltariam? Foi isso que você pensou?"

"Não."

"Então o que foi?"

Ela fica em silêncio.

"Lucy, podia ser tão simples. Feche o canil. Já. Tranque a casa, peça a Petrus para tomar conta. Tire umas férias de seis meses, de um ano, até as coisas melhorarem aqui no campo. Viaje. Vá para a Holanda. Eu pago. Quando voltar pode comprar gado, começar do zero."

"Se eu sair agora, David, não volto mais. Muito obrigada pelo oferecimento, mas não vai funcionar. Tudo o que você sugerir eu já pensei mil vezes sozinha."

"Então o que você quer fazer?"

"Não sei. Mas o que eu decidir quero decidir sozinha, sem pressão. Tem coisas que você simplesmente não entende."

"O que eu não entendo?"

"Para começar, você não entende o que aconteceu comigo aquele dia. Está preocupado comigo, o que eu agradeço, pensa que entende, mas não entende. Porque não consegue entender."

Ele reduz a marcha e vai saindo da estrada. "Não", Lucy diz. "Aqui não. É um pedaço ruim, muito arriscado de parar."

Ele acelera. "Ao contrário, eu entendo muito bem", diz. "Vou pronunciar as palavras que até agora evitamos dizer. Você foi estuprada. Múltiplo estupro. Por três homens."

"E?"

"Temeu pela própria vida. Teve medo de ser morta depois de ter sido usada. Descartada. Porque não significava nada para eles."

"E?" A voz dela agora é um sussurro.

"E eu não fiz nada. Não salvei você."

Essa é a confissão dele.

Ela faz um pequeno gesto impaciente com a mão. "A culpa não é sua, David. Não tinha como você me socorrer. Se eles tivessem vindo uma semana antes, eu ia estar sozinha na casa. Mas você tem razão, eu não significava nada para eles, nada. Dava para sentir isso."

Há uma pausa. "Acho que eles já fizeram isso antes", continua, com a voz mais firme agora. "Pelo menos os dois mais velhos. Acho que são estupradores antes de mais nada. Roubar coisas é um mero incidente. Um negócio paralelo. O que eles fazem é *estuprar*."

"Acha que vão voltar?"

"Acho que estou no território deles. Eles me marcaram. Vão voltar para me pegar."

"Então você não pode ficar aqui de jeito nenhum."

"Por que não?"

"Porque isso seria um convite para eles voltarem."

Ela pensa um longo tempo antes de responder. "Mas não tem um outro jeito de encarar a coisa, David? E se... e se *esse* for o preço que é preciso pagar para continuar? Talvez eles entendam assim; talvez eu entenda assim também. Eles acham que eu devo alguma coisa. Se consideram cobradores de um débito, cobradores de imposto. Por que eu deveria poder viver aqui sem pagar? Talvez seja isso que eles dizem a si mesmos."

"Tenho certeza que eles dizem muitas coisas para si mesmos. Têm todo interesse em inventar histórias para se justificar. Mas confie nos seus sentimentos. Você disse que só se sentiu odiada por eles."

"Odiada... Quando se trata de homens e sexo, David, nada mais me surpreende. Talvez, para os homens, odiar uma mulher faça o sexo ficar mais excitante. Você é homem, deve saber. Quando faz sexo com uma estranha, quando encurrala, prende, submete, coloca todo o seu peso em cima dela, não é um pouco como assassinar? Enfiar uma faca; excitante depois, deixar o corpo coberto de sangue, não dá a sensação de assassinato, de conseguir se safar de um assassinato?"

Você é homem, deve saber: é assim que se fala com o próprio pai? Ela e ele estão do mesmo lado?

"Talvez", responde. "Às vezes. Para alguns homens." E depois, depressa, sem pensar: "Foi igual com os dois? Como lutar com a morte?".

"Um excitava o outro. Deve ser por isso que fazem juntos. Como cachorros em bando."

"E o terceiro, o rapaz?"

"Estava lá para aprender."

Já passaram a placa das cicadáceas. O tempo está quase acabando.

"Se fossem brancos, você não falaria deles desse jeito", ele diz. "Se fossem bandidos brancos de Despatch, por exemplo."

"Acha que não?"

"Não, não falaria. Não estou acusando você de nada, não é essa a questão. Mas está falando é de uma coisa nova. De escravidão. Eles querem que você seja escrava deles."

"Não é escravidão. É sujeição. Submissão."

Ele sacode a cabeça. "É demais, Lucy. Venda. Venda a fazenda para Petrus e vá embora."

"Não."

É aí que a conversa termina. Mas as palavras de Lucy ressoam dentro dele. *Coberta de sangue.* O que ela quis dizer com isso? Será que estava certo afinal quando sonhou com uma cama de sangue, um banho de sangue?

Eles estupram. Pensa nos três visitantes indo embora no Toyota não-tão-velho, o banco de trás cheio de objetos domésticos, os pênis, suas armas, acomodados quentes e satisfeitos entre as pernas — *ronronando* é a palavra que lhe vem à mente. Devem ter tido todas as razões para ficar contentes com o trabalho daquela tarde; deviam estar felizes com sua vocação.

Ele se lembra, quando criança, de ler a palavra *rape*, estupro, em reportagens de jornal, tentando entender exatamente o que queria dizer, imaginando o que a letra *p*, sempre tão suave, estava fazendo no meio de uma palavra considerada tão horrenda que ninguém a falava em voz alta. Em um livro de arte na biblioteca havia uma pintura chamada *The rape of the sabine women*, O rapto das sabinas: homens a cavalo com minúsculas armaduras romanas, mulheres envoltas em véus levantando os braços e chorando. O que toda essa atitude tinha a ver com aquilo que ele desconfiava que era *rape*: o homem deitado em cima da mulher, se enfiando dentro dela?

Ele pensa em Byron. Entre as legiões de condessas e criadas em que Byron se enfiou havia sem dúvida aquelas que chamavam o ato de estupro. Mas sem dúvida nenhuma delas tinha por que temer terminar a sessão com a garganta cortada. De seu ponto de vista, e do ponto de vista de Lucy, Byron parece mesmo muito antiquado.

Lucy estava com medo, morta de medo. Sua voz estava sufocada, ela não conseguia respirar, seus membros ficaram entorpecidos. *Isto não está acontecendo*, ela disse a si mesma quando os homens a forçaram a deitar; *é só um sonho, um pesadelo*. Enquanto os homens, por seu lado, bebiam seu medo, se deliciavam com ele, faziam todo o possível para machucá-la, para ameaçá-la, para aumentar seu terror. *Chame os cachorros!*, disseram para ela. *Vá, chame os cachorros! Não tem cachorro? Você vai ver o que é cachorro!*

Você não entende, você não estava lá, diz Bev Shaw. Mas ela está errada. A intuição de Lucy está certa afinal: ele entende, sim; consegue entender, se se concentrar, se se soltar, estar lá, ser os homens, entrar dentro deles, preenchê-los com o fantasma de si mesmo. A questão é: está nele ser a mulher?

Na solidão de seu quarto, escreve uma carta para a filha:

"Querida Lucy, com todo o amor do mundo, tenho de dizer o seguinte. Você está no limiar de um erro perigoso. Você quer se humilhar perante a história. Mas o caminho que está seguindo é o caminho errado. Irá despi-la de toda honra; não conseguirá viver consigo mesma dessa forma. Eu imploro, me escute.

"Seu pai."

Meia hora depois, um envelope é enfiado debaixo de sua porta. "Caro David, você não está me ouvindo. Não sou a pessoa que você conhece. Sou uma pessoa morta e ainda não sei o que me trará de volta à vida. Tudo o que sei é que não posso ir embora.

"Isso você não entende, e não sei mais o que fazer para que entenda. É como se você tivesse escolhido deliberadamente sentar em um canto onde os raios de sol não brilham. Penso em você como um dos três chimpanzés, aquele com as mãos em cima dos olhos.

"Sim, o caminho que estou seguindo pode ser errado. Mas se for embora da fazenda, irei derrotada, e sentirei o gosto dessa derrota o resto da vida.

"Não posso ser uma criança para sempre. Você não pode ser meu pai para sempre. Sei que tem boa intenção, mas você não é o guia que eu preciso, não desta vez.

"Sua, Lucy."

Esse é o diálogo deles; essa a última palavra de Lucy.

O sacrifício de cães chegou ao fim por hoje, os sacos pretos estão empilhados na porta, cada um com um corpo e uma alma dentro. Ele e Bev Shaw se deitam abraçados no chão da sala de operações. Dentro de meia hora, Bev voltará para seu Bill e ele começará a carregar os sacos.

"Você nunca me falou de sua primeira mulher", Bev Shaw diz. "Lucy também não fala dela."

"A mãe de Lucy era holandesa. Isso ela deve ter contado. Evelina. Evie. Depois do nosso divórcio ela voltou para a Holanda. E casou de novo. Lucy não se deu bem com o padrasto. Pediu para voltar para a África do Sul."

"Então ela escolheu você."

"De certo modo. Escolheu também uma certa paisagem, um certo horizonte. Agora estou tentando fazer com que ela vá embora de novo, mesmo que só por um tempo. Lucy tem família na Holanda, amigos. A Holanda pode não ser o melhor lugar do mundo para viver, mas pelo menos não dá pesadelos."

"E?"

Ele dá de ombros. "Lucy não está aberta, neste momento, para ouvir nenhum conselho que eu dê. Diz que não sou um bom guia."

"Mas você era professor."

"Mais por acaso que por escolha. Ensinar nunca foi uma vocação para mim. Eu nunca pretendi ensinar as pessoas a viver. Era o que costumam chamar de acadêmico. Escrevi livros sobre gente morta. É aí que bate o meu coração. Dava aulas para ganhar a vida."

Ela espera mais, porém ele não está com vontade de continuar.

O sol está se pondo, está ficando frio. Não fizeram amor; na verdade, pararam de fingir que é isso que fazem juntos.

Na cabeça dele, Byron, sozinho no palco, respira para cantar. Está a ponto de partir para a Grécia. Aos trinta e cinco anos, começou a entender que a vida é preciosa.

Sunt lacrimae rerum, et mentem mortalia tangunt. Há lágrimas para tudo, e as coisas mortais tocam o coração: essas serão as palavras de Byron, disso ele tem certeza. Quanto à música, está pairando em algum ponto além do horizonte, ainda não chegou.

"Não se preocupe", Bev Shaw diz. A cabeça dela está em seu peito: deve dar para ouvir seu coração, que marca o ritmo do hexâmetro. "Bill e eu vamos cuidar dela. Vamos sempre até a fazenda. E tem o Petrus. Petrus vai ficar de olho."

"Petrus paterno."

"É."

"Lucy disse que não posso continuar sendo pai para sempre. Não consigo imaginar, nesta vida, não ser o pai de Lucy."

Ela passa os dedos pelos tocos de cabelo dele. "Vai ficar tudo bem", sussurra. "Você vai ver."

19.

A casa faz parte de um projeto que, quinze ou vinte anos antes, quando era nova, devia parecer árido, mas que desde então melhorou, com calçadas gramadas, árvores e trepadeiras subindo pelas paredes de concreto. O número 8 da Rustholme Crescent tem portão pintado e porteiro eletrônico.

Ele aperta o botão. Uma voz juvenil responde: "Alô?".

"Quero falar com o senhor Isaacs. Meu nome é Lurie."

"Ele ainda não chegou."

"Sabe a que horas chega?"

"Já, já." Um zumbido; a trava se abre; ele empurra o portão.

O caminho leva à porta da frente, onde uma jovem esguia está parada, olhando para ele. Está de uniforme escolar: avental azul-marinho, meias três-quartos brancas, camisa de colarinho aberto. Tem os olhos de Melanie, a face larga de Melanie, o cabelo escuro de Melanie; é, talvez, mais bonita. A irmã mais nova de que Melanie falou, cujo nome, de momento, ele não consegue lembrar.

"Boa tarde. A que horas seu pai deve chegar?"

"A escola termina às três, mas ele sempre fica até mais tarde. Tudo bem, pode entrar."

Ela abre a porta, esquivando o corpo para ele passar. Está comendo uma fatia de bolo, que segura delicadamente entre dois dedos. Tem farelos no lábio superior. Ele sente um impulso de estender a mão e limpá-los; no mesmo instante a lembrança da irmã dela o inunda como uma onda de calor. *Deus me livre*, pensa, *o que estou fazendo aqui?*

"Pode sentar se quiser."

Ele se senta. A mobília é brilhante, a sala opressivamente arrumada.

"Como é seu nome?"

"Desirée."

Desirée: ele se lembra agora. Melanie, a primeira, a escura, depois Desirée, a desejada. É uma provocação aos deuses dar-lhe um nome desses!

"Meu nome é David Lurie." Ele fica olhando, ela não dá o menor sinal de reconhecer. "Sou da Cidade do Cabo."

"Minha irmã está na Cidade do Cabo. Estudando."

Ele assente com a cabeça. Não diz: conheço a sua irmã, conheço muito bem. Mas pensa: frutos da mesma árvore, provavelmente nos mínimos detalhes. Mas com diferenças: pulsação do sangue diferente, urgências de paixão diferentes. As duas na mesma cama: experiência digna de um rei.

Tem um ligeiro estremecimento, olha o relógio. "Sabe de uma coisa, Desirée? Acho que vou tentar alcançar seu pai ainda na escola, se você me disser como chegar lá."

A escola combina perfeitamente com o complexo residencial: um prédio baixo de tijolos aparentes com janelas de metal e telhado de amianto, plantado num retângulo arenoso cercado de arame farpado. F. S. MARAIS diz a placa em uma coluna da entrada, ENSINO MÉDIO diz o letreiro da outra.

Está tudo deserto. Ele caminha pelo corredor até encontrar uma placa que diz SECRETARIA. Lá dentro, uma secretária gorducha de meia-idade, fazendo as unhas. "Estou procurando o senhor Isaacs", ele diz.

"Senhor Isaacs!", ela chama: "Tem alguém querendo falar com o senhor!" Volta-se para ele. "Pode entrar."

Isaacs, atrás da escrivaninha, se levanta um pouco, faz uma pausa, olha-o, intrigado.

"Lembra de mim? David Lurie, da Cidade do Cabo."

"Ah", Isaacs diz, e torna a se sentar. Usa o mesmo terno largo demais; o pescoço some dentro do paletó, do qual ele espia como um passarinho de bico fino dentro de um saco. As janelas estão fechadas, o ar tem cheiro de fumaça velha.

"Se não quiser falar comigo, posso ir embora imediatamente", diz.

"Não", Isaacs responde. "Sente. Estou verificando as presenças. Se importa de eu terminar?"

"Por favor."

Sobre a mesa, há uma foto emoldurada. De onde está sentado não dá para ver o que é, mas ele adivinha: Melanie e Desirée, as meninas dos olhos do pai, junto com a mãe que as gerou.

"Então", Isaacs diz, fechando a última pasta. "A que devo o prazer?"

Ele esperava ficar tenso, mas de fato está muito calmo.

"Quando Melanie registrou queixa", diz ele, "a universidade fez um inquérito oficial. Como resultado, eu pedi demissão do meu posto. A história é essa; o senhor deve estar sabendo."

Isaacs fica olhando para ele intrigado, sem revelar nada.

"Desde então estou desempregado. Estava passando por George hoje, e pensei em dar uma parada e falar com o senhor. Nosso último encontro me pareceu... acalorado. Mas pensei em dar uma passada mesmo assim, para dizer o que me vai no peito."

Era verdade. De fato quer dizer o que tem no peito. O problema é o seguinte: o que lhe passa no peito?

Isaacs está com uma caneta Bic barata na mão. Desliza os dedos por ela, vira a caneta ao contrário, desliza os dedos por ela, vez após outra, num movimento mais mecânico que impaciente.

Ele continua. "O senhor ouviu o lado da Melanie nessa história. Gostaria que ouvisse o meu, se estiver disposto.

"Tudo começou sem nenhuma premeditação de minha parte. Começou como uma aventura, uma dessas pequenas aventuras súbitas que um certo tipo de homem costuma ter, que eu tenho, que me mantêm vivo. Desculpe falar assim. Estou tentando ser franco.

"No caso de Melanie, porém, aconteceu uma coisa inesperada. Para mim, foi como um fogo. Ela acendeu um fogo dentro de mim."

Faz uma pausa. A caneta continua a dançar. *Uma pequena aventura súbita. Um certo tipo de homem.* Será que esse homem atrás da mesa tem aventuras? Quanto mais olha para o outro, mais duvida disso. Não ficaria surpreso se Isaacs tivesse alguma coisa a ver com a igreja, se fosse um diácono ou sacristão, alguma coisa.

"Um fogo: o que tem isso de especial? Se um incêndio se apaga, é só acender um fósforo e começar outro. Era assim que eu pensava. Na Antiguidade, porém, as pessoas adoravam o fogo. Pensavam duas vezes antes de deixar uma chama se apagar, a chama divina. Foi uma espécie de chama que sua filha acendeu dentro de mim. Não suficiente para me consumir, mas real: fogo real."

Ardendo — ardente — ardido.

A caneta parou de se mexer. "Senhor Lurie", diz o pai da menina, e tem um sorriso torto, dolorido no rosto, "eu me pergunto que diabos o senhor pode estar pretendendo ao vir até a minha escola para me contar a história..."

"Desculpe, é um absurdo, eu sei. Mas já acabei. É só isso que eu queria dizer, em autodefesa. Como vai Melanie?"

"Melanie está bem, já que pergunta. Telefona toda semana. Retomou os estudos, deram uma permissão especial para ela continuar; o senhor entende, claro, diante das circunstâncias. Continua com o trabalho no teatro nas horas vagas, e vai indo bem. Portanto, Melanie vai bem. E o senhor? Quais são os seus planos agora que largou a profissão?"

"Eu também tenho uma filha, se o senhor está interessado em saber. Ela tem uma fazenda; acho que vou passar algum tempo com ela, ajudando. Tenho também um livro para terminar, um trabalho. De uma forma ou de outra, estou sempre ocupado."

Faz uma pausa. Isaacs olha para ele com algo que lhe parece intensa atenção.

"Então", diz Isaacs suavemente, e as palavras saem de sua boca como um suspiro, "é assim que caem os poderosos!"

Cair? É, sem dúvida houve uma queda. Mas *poderosos*? Será que *poderoso* se aplica a ele? Ele se considera obscuro, cada vez mais obscuro. Uma figura à margem da história.

"Talvez nos faça bem", diz, "sofrer uma queda de vez em quando. Contanto que a gente não se quebre."

"Bom. Bom. Bom", diz Isaacs, ainda a observá-lo muito atentamente. Pela primeira vez, detecta um traço de Melanie nele: a forma da boca e dos lábios. Num impulso, estende a mão por cima da escrivaninha, tentando cumprimentar o homem, e acaba roçando os dedos no dorso da mão dele. Pele fria, sem pelos.

"Senhor Lurie", diz Isaacs, "o senhor tem alguma outra coisa que queira me dizer além da sua história com Melanie? O senhor falou que tinha alguma coisa no peito."

"No peito? Não. Não, só parei para saber como Melanie ia indo." Levanta-se. "Obrigado por ter me recebido, eu agradeço." Estende a mão, direto dessa vez. "Até logo."

"Até logo."

Ele está na porta, na verdade está na sala ao lado que agora não tem ninguém, quando Isaacs chama: "Senhor Lurie! Um momento!".

Ele volta.

"O que o senhor vai fazer hoje à noite?"

"Hoje à noite? Estou hospedado num hotel. Não tenho nenhum plano."

"Venha jantar conosco. Venha."

"Acho que sua mulher não vai gostar."

"Talvez. Talvez não. Venha mesmo assim. Repartir o pão conosco. O jantar é às sete. Vou escrever o endereço para o senhor."

"Não precisa. Eu já passei na sua casa, e conheci sua filha. Foi ela que me disse que estava aqui."

Isaacs não pisca. "Muito bem", diz.

A porta é aberta pelo próprio Isaacs. "Entre, entre", diz, e leva-o para a sala de estar. Nem sinal da esposa, ou da segunda filha.

"Trouxe isto aqui", diz, e estende uma garrafa de vinho.

Isaacs agradece, mas parece não saber o que fazer com o vinho. "O senhor vai querer beber? Vou abrir." Sai da sala; há um murmúrio na cozinha. Ele volta. "Parece que perdemos o saca-rolhas. Mas Dezzy vai pegar um emprestado com o vizinho."

Eles são abstêmios, evidentemente. Devia ter pensado nisso. Uma família *petite-bourgeoise*, estrita, frugal, prudente. O carro lavado, a grama aparada, as economias no banco. Todos os recursos concentrados em criar as duas joias de filhas para o futuro: a inteligente Melanie, com suas ambições teatrais; Desirée, a bela.

Ele relembra Melanie na primeira noite de contato mais próximo, sentada a seu lado no sofá, tomando café com um toque de uísque que devia — a palavra vem relutante — *lubrificá-la*. Aquele corpinho enxuto; as roupas sexy; os olhos brilhantes de excitação. Entrando na floresta onde espreita o lobo mau.

Desirée, a bela, entra com a garrafa e o saca-rolhas. Ao atravessar a sala na direção deles, ela hesita um instante, ciente de que terá de cumprimentar. "Pai?", murmura com certa confusão, estendendo a garrafa.

Então, ela já sabe quem ele é. Falaram sobre ele, se desentenderam, talvez: o visitante indesejado, o homem cujo nome é sombra.

O pai prende a mão dela. "Desirée", diz, "este é o senhor Lurie."

"Olá, Desirée."

O cabelo que lhe cobria o rosto é jogado para trás. Ela o olha nos olhos, ainda envergonhada, porém mais forte agora que está sob a asa do pai. "Oi", murmura; e ele pensa, *Meu Deus! Meu Deus!*

Ela não é capaz de esconder dele o que lhe passa na cabeça: *Então foi com este homem que minha irmã ficou nua! Foi com este homem que ela fez aquilo! Este velho!*

A sala de jantar é separada, tem uma abertura que dá para a cozinha. Quatro lugares arrumados com os melhores talheres;

velas acesas. "Sente, sente!", Isaacs diz. Ainda nenhum sinal da mulher. "Com licença, um momento." Isaacs desaparece na cozinha. Ele fica na mesa, de frente para Desirée. Ela baixa a cabeça, não tão valente.

Então eles voltam, os pais, juntos. Ele se levanta. "Ainda não conhece minha mulher. Doreen, nosso convidado, senhor Lurie."

"Fico muito grato por me receber na sua casa, senhora Isaacs."

A senhora Isaacs é uma mulher baixa, que está atarracando com a idade, de pernas arqueadas que lhe dão um andar ligeiramente oscilante. Mas dá para ver de onde as irmãs tiraram a beleza. Deve ter sido uma verdadeira beldade em sua época.

Ela mantém os traços duros, evita os olhos dele, mas faz um minúsculo gesto com a cabeça. Obediente; a boa esposa e companheira. *E serão uma só carne.* Será que as filhas vão puxar a ela?

"Desirée", ela ordena, "venha. Me ajude a servir."

Agradecida a menina sai da cadeira.

"Senhor Isaacs, eu estou provocando uma confusão na sua casa", diz. "Foi gentileza sua me convidar, eu agradeço, mas é melhor ir embora."

Isaacs dá um sorriso no qual, para sua surpresa, há um toque de divertimento. "Sente, sente! Vai dar tudo certo! Vai, sim!" Ele chega mais perto. "Você tem de ser forte!"

Então, Desirée e a mãe voltam trazendo os pratos: frango num molho de tomate borbulhante, que solta aromas de gengibre e cominho, arroz, uma salada mista e picles. Exatamente o tipo de comida de que ele mais sente falta, vivendo com Lucy.

A garrafa de vinho é colocada à sua frente, com um copo solitário.

"Só eu vou beber?", pergunta.

"Por favor", diz Isaacs, "fique à vontade."

Ele serve um copo. Não gosta de vinhos doces, comprou o Late Harvest imaginando que seria ao gosto deles. Bem, azar seu.

É preciso ainda enfrentar a oração. Os Isaacs dão-se as mãos; nada demais, só estender as mãos também, a esquerda para o pai da menina, a direita para a mãe. "Pelo que vamos receber, o Senhor nos ensine a verdadeira gratidão", diz Isaacs. "Amém", respondem a esposa, a filha, e ele, David Lurie, resmunga o seu "Amém" e larga as duas mãos, a do pai fria como seda, a da mãe pequena, carnuda, quente de trabalho.

A senhora Isaacs serve os pratos. "Cuidado, está quente", diz ao passar o prato dele. São as únicas palavras que lhe dirige.

Durante a refeição, ele tenta ser um bom convidado, puxar conversas interessantes, preencher os silêncios. Fala sobre Lucy, sobre o hotel para cães, sobre as colmeias e seus projetos de horticultura, sobre os plantões de sábado de manhã no mercado. Menciona de passagem o assalto, contando apenas que seu carro foi roubado. Fala da Liga de Bem-estar dos Animais, mas não sobre o incinerador do hospital nem das tardes roubadas com Bev Shaw.

Costurada assim, a história se desenrola sem sombras. A vida rural em toda a sua simplicidade idiota. Como gostaria que fosse verdade! Está cansado de sombras, de complicações, de gente complicada. Adora a filha, mas há momentos em que desejaria que ela fosse mais simples: mais simples, mais nítida. O homem que a estuprou, o líder do bando, era assim. Uma lâmina cortando o vento.

Tem uma visão de si mesmo estirado em uma mesa de operações. Um bisturi rebrilha; ele é aberto do pescoço ao baixo-ventre; vê tudo, mas não sente dor. Um cirurgião, barbado, curva-se sobre ele, franze a testa. *O que é tudo isto aqui?*, grunhe o cirurgião. Cutuca a vesícula biliar. *O que é isto?* Corta fora o órgão, joga de lado. Cutuca o coração. *O que é isto?*

"Sua filha... ela cuida sozinha da fazenda?", pergunta Isaacs.

"Tem um homem que ajuda às vezes. Petrus. Um africano." E fala sobre Petrus, o sólido, confiável Petrus, com suas duas esposas e moderadas ambições.

Está com menos fome do que imaginava. A conversa acaba murchando, mas conseguem terminar o jantar. Desirée pede licença, sai para fazer a lição de casa. A senhora Isaacs tira a mesa.

"Tenho de ir", diz ele. "Vou viajar amanhã bem cedo."

"Espere, fique mais um pouco", diz Isaacs.

Estão sozinhos. Não pode mais fingir.

"Sobre Melanie", diz.

"O quê?"

"Só mais uma palavra, e não digo mais nada. Podia ter sido diferente, acho, entre nós dois, apesar da diferença de idade. Mas não fui capaz de suprir alguma coisa, alguma coisa...", ele procura a palavra, "lírica. Eu não tenho lirismo. Sei amar bem. Mas mesmo quando estou apaixonado não canto, se o senhor me entende. E lamento por isso. Lamento o que fiz sua filha passar. O senhor tem uma família maravilhosa. Peço desculpas pelo sofrimento que causei ao senhor e a sua esposa. Peço que me desculpe."

Maravilhosa não está certo. Teria sido melhor *exemplar*.

"Então", diz Isaacs, "o senhor finalmente se desculpou. Estava imaginando quando isso ia acontecer." Ele pondera. Não se sentou; começa a andar de um lado para outro. "O senhor está arrependido. Falta lirismo ao senhor, diz. Se tivesse lirismo, não estaríamos no ponto que estamos agora. Mas tenho para mim que todo mundo se arrepende quando é descoberto.

É aí que a gente se arrepende. Mas a questão não é se arrepender. A questão é: que lição se aprende? A questão é: o que se pode fazer agora que nos arrependemos?"

Está a ponto de responder, mas Isaacs levanta a mão. "Posso pronunciar a palavra Deus na sua frente? O senhor não é uma daquelas pessoas que ficam perturbadas de ouvir o nome de Deus, é? A questão é o que Deus quer do senhor, além do seu grande arrependimento? O senhor faz alguma ideia, senhor Lurie?"

Apesar de o vai e vem de Isaacs distraí-lo, ele tenta entender as palavras cuidadosamente. "Normalmente eu diria", responde, "que depois de uma certa idade somos velhos demais para aprender qualquer lição. Só se pode ser castigado e castigado. Mas talvez isso não seja verdade, não sempre. Eu espero para ver. Quanto a Deus, eu não acredito em Deus, de forma que vou ter de traduzir o que o senhor chama de Deus e de vontade de Deus para os meus próprios termos. Nos meus termos, estou sendo castigado pelo que aconteceu entre mim e sua filha. Caí em um estado de desgraça do qual não será fácil me levantar. Não é um castigo que eu recuse. Não reclamo dele. Ao contrário, estou vivendo o castigo dia a dia, tentando aceitar a desgraça como meu estado de ser. Será que basta para Deus, o senhor acha, eu viver em desgraça para sempre?"

"Não sei, senhor Lurie. Normalmente eu diria que não perguntasse para mim, perguntasse a Deus. Mas como o senhor não reza, não tem jeito de perguntar a Deus. Então, Deus vai ter de achar um jeito de fazer o senhor entender. Por que acha que está aqui, senhor Lurie?"

Ele fica em silêncio.

"Eu vou dizer. O senhor estava passando por George, e lhe ocorreu que a família da sua aluna era de George, e o senhor pensou consigo mesmo, *Por que não?* O senhor não planejou isso, mas de repente se vê na nossa casa. Deve ter sido uma surpresa para o senhor. Estou certo?"

"Não inteiramente. Eu não disse a verdade. Não estava só de passagem. Vim até George por uma única razão: falar com o senhor. Faz algum tempo que estou pensando nisso."

"Bom, o senhor veio falar comigo, pelo que está dizendo, mas por que eu? É fácil falar comigo, muito fácil. Todas as crianças da minha escola sabem disso. Com o Isaacs a gente se livra fácil, é o que elas dizem." Ele está sorrindo de novo, o mesmo sorriso torto de antes. "Então, com quem de fato o senhor veio falar?"

Agora ele tem certeza: não gosta desse homem, não gosta dos seus truques.

Levanta-se, atravessa depressa a sala de jantar vazia e vai para o corredor. Por trás de uma porta encostada, ouve vozes baixas. Abre a porta. Sentadas na cama estão Desirée e a mãe, fazendo alguma coisa com uma meada de lã. Perplexas com a aparição dele, ficam em silêncio.

Com cuidadosa cerimônia ele se ajoelha e toca o chão com a testa.

Será que basta?, pensa. Será que isso basta? Se não, o que mais?

Levanta a cabeça. As duas ainda estão sentadas, congeladas. Ele encontra os olhos da mãe, depois os da filha, e outra vez é tomado pela corrente, a corrente do desejo.

Levanta-se, um pouco mais trôpego do que gostaria. "Boa noite", diz. "Obrigado por sua gentileza. Obrigado pelo jantar."

Às onze da noite, recebe um telefonema no quarto do hotel. É Isaacs. "Estou telefonando para lhe desejar força no futuro." Uma pausa. "Tem uma pergunta que eu não fiz, senhor Lurie. O senhor não está querendo que a gente interfira em seu favor na universidade, está?"

"Interferir?"

"É. Para o senhor reassumir, por exemplo."

"Essa ideia nunca me passou pela cabeça. A universidade acabou para mim."

"Porque o caminho em que o senhor está foi Deus que lhe ordenou. Não cabe a nós interferir."

"Entendido."

20.

Ele retorna à Cidade do Cabo pela N2. Ficou fora menos de três meses, mas nesse tempo os barracos atravessaram a pista e se espalharam do lado oriental do aeroporto. O fluxo de carros tem de diminuir a marcha enquanto uma criança toca com uma vara uma vaca desgarrada para fora da estrada. Inexoravelmente, ele pensa, o campo vem para a cidade. Logo haverá gado em Rondebosch Common de novo; logo a história completará o círculo.

Então, está de volta em casa. Não parece um retorno. Ele não consegue se imaginar morando de novo na casa da Torrance Road, à sombra da universidade, escondido como um criminoso, evitando velhos colegas. Vai ter de vender a casa, mudar para um apartamento em algum lugar mais barato.

Suas finanças estão caóticas. Não paga nenhuma conta desde que foi embora. Está vivendo de crédito; qualquer dia desses seu crédito vai se esgotar.

O fim da vida aventureira. E o que vem depois do fim da aventura? Ele se vê de cabelos brancos, curvado, arrastando os pés até a venda da esquina para comprar seu meio litro de leite e um pedaço de pão; ele se vê sentado à toa a uma mesa em uma sala cheia de páginas amarelecidas, esperando a tarde se escoar para poder preparar a refeição da noite e ir para a cama. A vida de um intelectual aposentado, sem esperança, sem perspectiva: está preparado para se conformar com isso?

Destranca o portão da frente. O jardim está descuidado, a caixa de correio lotada de folhetos, anúncios. Embora bem equipada com sistemas de segurança, a casa ficou meses vazia: é esperar demais achar que não foi visitada. E de fato, no momento em que abre a porta, sente no ar que alguma coisa está errada. Seu coração começa a bater com uma excitação doentia.

Nenhum som. Seja quem for que esteve ali, já foi embora. Mas como entraram? Na ponta dos pés, de quarto em quarto, ele logo descobre. As barras de uma das janelas de trás foram arrancadas da parede e dobradas para trás, as venezianas, quebradas, abrindo um buraco suficiente para passar uma criança ou mesmo um homem pequeno. Um colchão de folhas e areia trazidos pelo vento recobriu o chão.

Ele vaga pela casa fazendo um inventário das perdas. Seu quarto foi saqueado, os armários bocejam, nus. Seu equipamento de som se foi, as fitas e discos, o computador. No escritório, a escrivaninha e o arquivo foram arrombados; há papéis espalhados por toda parte. A cozinha foi inteiramente limpa: talheres, louças, pequenos aparelhos. O estoque de bebidas sumiu. Até o armário onde guardava comida enlatada está vazio.

Não foi um roubo comum. Um grupo de ataque invadindo, limpando o local, se retirando carregado de sacos, caixas, malas. Butim; reparação de guerra; outro incidente na grande campanha de redistribuição. Quem estará neste momento calçando seus sapatos? Será que Beethoven e Janáček encontraram um lar ou terão sido jogados no monte de lixo?

Do banheiro vem um mau cheiro. Um pombo, preso na casa, morreu dentro da pia. Cuidadosamente ele levanta a massa de ossos e penas, coloca dentro de um saco plástico e amarra a boca.

A luz foi cortada, o telefone está mudo. A menos que tome alguma providência, vai passar a noite no escuro. Mas está deprimido demais para agir. Que vá tudo para o inferno, pensa, e senta-se numa cadeira, fecha os olhos.

Quando começa a escurecer, levanta-se e sai da casa. As primeiras estrelas apareceram. Pelas ruas desertas, pelos jardins pesados do aroma de verbena e de junquilho, ele vai para o campus da universidade.

Ainda tem as chaves do Prédio de Comunicações. Uma boa hora para ir assombrar: os corredores estão desertos. Pega o elevador para sua sala no quinto andar. A placa com seu nome foi retirada da porta. A nova diz DR. S. OTTO. Por baixo da porta, vem uma luminosidade difusa.

Ele bate. Nenhum ruído. Destranca a porta e entra.

A sala foi transformada. Seus livros e quadros sumiram, deixando as paredes nuas, a não ser por um pôster com uma ampliação de revista em quadrinhos: Super-Homem de cabeça baixa levando uma bronca de Lois Lane.

Ao computador, a meia-luz, está um jovem que nunca viu antes. O jovem franze a testa. "Quem é você?", pergunta.

"Sou David Lurie."

"Sei. E daí?"

"Vim pegar minha correspondência. Esta sala era minha." *Antes*, ele quase acrescenta.

"Ah, certo, David Lurie. Desculpe, não pensei. Eu pus tudo dentro de uma caixa. E algumas outras coisas suas que encontrei." Ele aponta. "Ali."

"E meus livros?"

"Estão lá embaixo, no depósito."

Ele pega a caixa. "Obrigado", diz.

"Sem problema", diz o jovem dr. Otto. "Dá para levar?"

Leva a caixa pesada para a biblioteca, pensando verificar a correspondência. Mas quando chega à catraca de acesso, a máquina não aceita mais seu cartão. Tem de fazer a verificação em um banco no saguão.

Está inquieto demais para dormir. Ao amanhecer, vai para as montanhas e começa uma longa caminhada. Choveu, os riachos estão cheios. Respira o aroma fresco de pinho. A partir de hoje, é um homem livre, sem deveres com ninguém além de si mesmo. À sua frente, todo o tempo para gastar como quiser. A sensação é inquietante, mas acha que vai acabar se acostumando.

Sua temporada com Lucy não o transformou num homem rural. Mesmo assim, sente falta de algumas coisas — a família de patos, por exemplo: Mamãe Pata nadando na superfície da represa, o peito estufado de orgulho, enquanto Uni, Duni, Tê, Salamê acompanham empenhados, confiantes de que enquanto ela estiver ali estarão a salvo de todo mal.

Quanto aos cachorros, não quer pensar neles. De segunda-feira em diante, os cachorros aliviados da vida entre as paredes da clínica serão atirados no fogo sem ninguém notar, nem lamentar. Um dia será perdoado por essa traição?

Dá uma passada no banco, leva uma trouxa de roupas para a lavanderia. No mercadinho em que comprou seu café durante anos, a atendente faz que não o conhece. Sua vizinha, que está regando o jardim, mantém-se intencionalmente de costas.

Ele pensa em William Wordsworth na sua primeira estada em Londres, indo à pantomima, vendo Jack, o Matador de

Gigantes, atravessando ousadamente o palco, brandindo a espada, protegido pela palavra *invisível* escrita no peito.

À noite, liga para Lucy de um telefone público. "Achei melhor telefonar no caso de você estar preocupada comigo", diz. "Eu estou bem. Vai levar um tempo para me instalar, acho. Fico andando pela casa feito uma ervilha dentro de uma garrafa. Sinto falta dos patos."

Ele não fala nada do assalto à casa. Para que sobrecarregar Lucy com seus problemas?

"E Petrus?", pergunta. "Petrus está cuidando de você ou ainda está enrolado com a construção da casa?"

"Petrus está ajudando bastante. Todo mundo está ajudando."

"Bom, posso voltar sempre que precisar. É só me dizer."

"Obrigada, David. Agora, não, talvez, mas um dia desses."

Quem haveria de dizer, quando sua filha nasceu, que um dia ele iria engatinhando até ela, pedindo para ser aceito?

Ao fazer compras no supermercado, na fila do caixa se vê atrás de Elaine Winter, chefe de seu antigo departamento. Ela está com um carrinho cheio de compras, ele com uma cesta apenas. Nervosa, ela responde o cumprimento.

"E como o departamento está se virando sem mim?", ele pergunta, o mais brincalhão possível.

Muitíssimo bem, seria a resposta mais franca. *Estamos nos dando muito bem sem você.* Mas ela é delicada demais para dizer uma coisa dessas. "Ah, batalhando como sempre", responde, vaga.

"Conseguiram contratar alguém?"

"Pegamos uma pessoa nova, contratada. Um rapaz."

Eu conheci, ele devia responder. *Um pentelhinho*, deveria acrescentar. Mas é muito bem-educado. "Qual a especialidade dele?", pergunta apenas.

"Estudos aplicados de linguagem. Trabalha com aprendizado de línguas."

Pior para os poetas, pior para os mestres mortos. Que, ele é forçado a dizer, não o orientaram bem. *Aliter*, a quem ele não deu ouvidos.

A mulher à frente deles na fila está demorando para pagar. Ainda dá tempo de Elaine fazer a pergunta seguinte, que deveria ser, *E como você vai indo, David?*, para ele responder, *Muito bem, Elaine, muito bem.*

"Não quer passar na minha frente?", ela sugere apenas, apontando a cesta dele. "Você está com tão pouca coisa."

"Nem pensar, Elaine", ele responde, e se diverte um pouco observando enquanto ela coloca as compras no balcão: não só pão com manteiga, mas pequenos mimos que uma mulher morando sozinha se permite — sorvete de creme (com amêndoas de verdade, passas de verdade), bolachas italianas importadas, barras de chocolate — além de um pacote de absorventes higiênicos.

Ela paga com cartão de crédito. Do outro lado do balcão acena-lhe um adeus. Seu alívio é palpável. "Até logo!", ele diz por cima da moça do caixa. "Dê lembranças a todos!" Ela não olha para trás.

Na concepção original, a ópera tinha como centro Lord Byron e sua amante, a condessa Guiccioli. Presos na Villa Guiccioli no sufocante verão da Ravenna, espionados pelo marido ciumento de Teresa, os dois vagam pelos lúgubres salões cantando sua paixão interrompida. Teresa se sente uma prisioneira; ferve de ressentimentos e insiste com Byron para que a leve para uma outra vida. Quanto a Byron, está cheio de dúvidas, embora seja prudente demais para manifestá-las. Os primeiros êxtases, ele suspeita que nunca se repetirão. Sua vida foi acalmada; secretamente, ele começa a desejar uma retirada tranquila; não sendo possível, a apoteose, a morte. As altas árias de Teresa não acendem nele nenhuma fagulha; sua linha vocal, sombria, intrincada, vai além dela, passa por ela, atravessa-a.

Foi assim que ele a concebeu: como uma peça de câmara sobre amor e morte, com uma jovem apaixonada e um homem mais velho um dia apaixonado, hoje menos que apaixonado; como uma ação com música complexa, inquieta, por trás, cantada em um inglês que puxa continuamente para um italiano imaginado.

Formalmente, a concepção não é má. Os personagens se equilibram bem: o casal encurralado, a amante descartada batendo nas janelas, o marido ciumento. A vila também, com os macaquinhos de estimação de Byron se pendurando nos lustres, e pavões fuçando no meio da mobília napolitana ornamentada, tem a mistura certa de intemporalidade e decadência.

Porém, primeiro na fazenda de Lucy e agora aqui, o projeto não consegue pegá-lo no fundo. Alguma coisa está errada, algo que não vem do coração. Uma mulher que reclama com as estrelas que a espionagem dos criados obriga que ela e o amante aliviem seus desejos num armário de vassouras — quem está interessado nisso? Ele é capaz de encontrar as palavras para Byron, mas a Teresa que a história lhe brindou — jovem, ambiciosa, voluntariosa, petulante — não casa com a música que sonhou, música cujas harmonias, ricamente outonais, embora tocadas por uma ironia, ele escuta ao longe dentro de sua cabeça.

Experimenta outro caminho. Abandonando as páginas de anotações, abandonando a atrevida, precocemente recém-casada com seu milorde inglês, tenta pegar Teresa na meia-idade. A nova Teresa é uma viuvinha rechonchuda instalada na Villa

Gamba com seu velho pai, que cuida da casa, segura a bolsa, sempre de olho para que os criados não roubem o açúcar. Byron, na nova versão, morreu faz tempo; a Teresa tudo o que resta da imortalidade, sua consolação nas noites solitárias, é um baú de cartas e lembranças que mantém debaixo da cama, que chama de suas *reliquie*, que suas sobrinhas-netas abrirão depois de sua morte e examinarão com assombro.

Será essa a heroína que procurava todo o tempo? Será que uma Teresa mais velha animará seu coração como o seu coração agora está?

A passagem do tempo não foi gentil com Teresa. Com seus seios pesados, tronco compacto, pernas curtas, ela parece mais uma camponesa, uma *contadina*, do que uma aristocrata. A tez que Byron tanto admirou um dia hoje é afogueada; no verão, ela é tomada por ataques de asma que a deixam lutando para respirar.

Nas cartas que escreveu a ela, Byron a chama de *Minha amiga*, depois de *Meu amor*, depois de *Meu amor para sempre*. Mas existem cartas rivais, cartas que ela não tem como obter e queimar. Nessas cartas, dirigidas a seus amigos ingleses, Byron a enumera descuidadamente entre suas conquistas italianas, faz piadas sobre seu marido, alude às mulheres do seu círculo com quem já dormiu. Nos anos que se passaram desde a morte de Byron, os amigos escreveram memórias sobre memórias baseadas em suas cartas. Depois de conquistar a jovem Teresa do marido, diz a história narrada por eles, Byron cansou-se dela; achou que era cabeça oca; ficou com ela só por dever; foi para escapar dela que pegou o barco para a Grécia e para a morte.

Esses libelos a ferem até o mais fundo da alma. Seus anos ao lado de Byron constituem o ápice de sua vida. O amor de Byron é tudo o que lhe dá sentido. Sem ele, ela não é nada:

uma mulher que já ultrapassou sua plenitude, sem perspectivas, que passa os dias em uma tediosa cidade provinciana, trocando visitas com amigas, massageando as pernas do pai quando ele sente dor, dormindo sozinha.

No fundo do coração, será que ele é capaz de amar essa mulher comum, sem nenhum atrativo especial? É capaz de amá-la a ponto de escrever música para ela? Se não for, o que lhe restará?

Retoma o que deve ser a cena de abertura. O finzinho de mais um dia de calor. Teresa está diante da janela do segundo andar da casa do pai, olhando os pântanos e os bosques de pinheiros da Romagna com o sol rebrilhando no Adriático. O fim do prelúdio; uma pausa; ela respira. *Mio Byron*, canta, a voz embargada de tristeza. Um clarinete responde, vai baixando, silencia. *Mio Byron*, ela torna a chamar, mais forte.

Onde está ele, o seu Byron? Byron está perdido, é a resposta. Byron está vagando entre as sombras. E ela também está perdida, a Teresa que ele amou, a moça de dezenove anos, de cachos dourados que se entregou com tamanha alegria ao inglês imperioso, que depois acariciava a testa deitada em seu seio nu, respirando fundo, sonolentos depois da grande paixão.

Mio Byron, ela canta uma terceira vez: e de algum lugar, das cavernas do mundo inferior, uma voz responde, trêmula e desencarnada, a voz de um fantasma, a voz de Byron. *Onde está?*, ele canta; e então uma palavra que ela não quer ouvir: *secca*, seca. *Secou, a fonte de tudo*.

Tão fraca, tão titubeante é a voz de Byron que Teresa tem de cantar de volta as palavras para ele, ajudando-o de hausto em hausto, puxando-o de volta à vida: seu filho, seu menino. *Estou aqui*, ela canta, dando-lhe apoio, impedindo que se afunde. *Sou eu sua fonte. Lembra-se quando juntos visitamos a fonte de Arquà? Juntos, você e eu. Eu era sua Laura. Lembra-se?*

Assim será daí por diante: Teresa dando voz ao seu amante, e ele, o homem dentro da casa saqueada, dando voz a Teresa. O roto ajudando o rasgado, por falta de coisa melhor.

Trabalhando o mais depressa que pode, agarrado a Teresa, ele tenta esboçar as páginas de abertura de um libreto. Ponha as palavras no papel, diz a si mesmo. Uma vez feito isso, tudo será mais fácil. Haverá tempo para procurar nos mestres, em Gluck, por exemplo, melodias inspiradoras, talvez, quem sabe?, ideias inspiradas também.

Mas aos poucos, à medida que começa a viver mais completamente os seus dias na companhia de Teresa e do Byron morto, vai ficando claro que canções roubadas não bastarão, que os dois exigirão música própria. E, surpreendentemente, gota a gota, a música vem. Às vezes o contorno de uma frase lhe ocorre antes de ele saber qual será a letra; às vezes, as palavras pedem uma cadência; às vezes, uma sombra de melodia, que pairou dias e dias nas bordas da audição, se desdobra e abençoadamente se revela. À medida que a ação se desenrola, vai exigindo por si mesma modulações e transições que ele sente no sangue, mas que não tem os recursos musicais para realizar.

No piano, põe-se a trabalhar colando e escrevendo o começo de uma partitura. Mas algo no som do piano o atrapalha: redondo demais, físico demais, cheio demais. No sótão, de dentro de um caixote cheio de velhos livros e brinquedos de Lucy, recupera um velho banjo de sete cordas que comprou para ela na rua em KwaMashu quando era criança. Com a ajuda do banjo, começa a anotar a música que Teresa, ora lamentosa, ora enraivecida, cantará para o amante morto, e que a pálida voz de Byron cantará para ela da terra das sombras.

Quanto mais acompanha a condessa ao mundo inferior, cantando as palavras por ela ou cantarolando para ela uma linha musical, mais inseparável dela vai ficando, para sua surpresa, o tolo plinc-plonc do banjo de brinquedo. As árias ricas que sonhara lhe dar são discretamente abandonadas; daí a colocar o instrumento em suas mãos é um pequeno passo. Em vez de passear pelo palco, Teresa agora fica sentada olhando os pântanos que levam à porta do inferno, segurando o bandolim com o qual se alça em voos líricos; e de um lado um trio discreto em roupas da época (violoncelo, flauta, fagote) preenche os entreatos ou faz comentários esparsos entre *stanzas*.

Sentado à sua escrivaninha, olhando o jardim descuidado, ele se deslumbra com o que o pequeno banjo está lhe ensinando. Seis meses atrás, pensava que seu próprio lugar fantasmagórico em *Byron na Itália* ficaria em algum ponto entre Teresa e Byron: entre o desejo de prolongar o verão do corpo apaixonado e o relutante chamado para o longo declínio do esquecimento. Mas estava errado. Não é o erótico que o atrai afinal, nem o elegíaco, mas o cômico. Ele não se vê na ópera nem como Teresa, nem como Byron, nem mesmo como uma fusão dos dois: ele se vê na música em si, no planger pequeno, simples, das cordas do banjo, na voz que luta para se afastar do instrumento jocoso, mas que é continuamente puxada de volta, como um peixe na linha.

Então é isso a arte, pensa, e é assim que funciona! Que estranho! Que fascinante!

Passa dias inteiros possuído por Byron e Teresa, vivendo de café preto e cereais matinais. A geladeira está vazia, a cama desarrumada; folhas rolam pelo chão vindas pela janela quebrada. Não importa, ele pensa; que os mortos enterrem os seus mortos.

Com os poetas aprendi o amor, Byron canta em seu tom monótono, nove sílabas em dó natural; *mas a vida, descobri* (baixando cromaticamente para fá), *é outra coisa*. Plinc-planc-plonc tocam as cordas do banjo. *Por quê? Oh, por que falar assim?* Teresa canta em um longo arco de censura. *Planc-plinc--plonc* tocam as cordas.

Ela quer ser amada, Teresa, ser amada imortalmente; quer ser alçada à companhia das Lauras e Floras do passado. E Byron? Byron será fiel até a morte, mas isso é tudo o que promete. *Os dois atados, até que um tenha expirado.*

Meu amor, Teresa canta, prolongando o farto monossílabo que aprendeu na cama do poeta. *Plinc*, ressoam as cordas. Uma mulher apaixonada, chafurdando no amor; uma gata no telhado, uivando; proteínas complexas correndo no sangue, distendendo os órgãos sexuais, deixando as mãos suadas e a voz pastosa quando a alma lança aos céus a sua ânsia. Soraya e as outras eram para isto: para sugar as proteínas complexas de seu sangue como se fosse veneno de cobra, deixando-o seco, de cabeça limpa. Teresa em casa de seu pai em Ravenna, para sua tristeza, não tem ninguém que lhe sugue o veneno. *Venha, mio Byron*, ela lamenta: *venha me amar!* E Byron, exilado da vida, pálido como um fantasma, responde menosprezando: *Deixe-me, deixe--me, deixe-me!*

Anos atrás, quando morou na Itália, ele visitou a mesma floresta entre Ravenna e o litoral do Adriático onde, um século e meio antes, Byron e Teresa costumavam cavalgar. Em algum ponto no meio das árvores, devia estar o local onde o inglês levantou pela primeira vez as saias da sedutora de dezoito anos, noiva de outro homem. Podia pegar um avião para Veneza amanhã, pegar um trem para Ravenna, caminhar pelas velhas trilhas de cavalgada, passar pelo mesmo local. Está inventando a música (ou a música está inventando a ele), mas não está inventando a história. Naquele chão de ramos de pinheiro, Byron possuiu sua Teresa — "tímida como uma gazela", ele a chamou — amassando suas roupas, enchendo de areia sua roupa de baixo (os cavalos parados ao lado o tempo todo, indiferentes), e dessa ocasião nasceu uma paixão que fez Teresa ficar uivando para a lua durante todo o resto de sua vida natural, numa febre que o fez uivar também, à sua maneira.

Teresa vai à frente; página após página ele segue. Então, um dia, surge do escuro uma outra voz, que ele ainda não ouviu, que não contava ouvir. Pelas palavras, entende que pertence à filha de Byron, Allegra; mas de onde vem dentro dele? *Por que me deixou? Venha me buscar!*, Allegra pede. *Tanto calor, tanto calor, tanto calor!*, ela reclama em um ritmo todo seu que interrompe insistentemente as vozes dos amantes.

O chamado da inconveniente criança de cinco anos não recebe resposta. Não amável, não amada, negligenciada pelo pai famoso, passou de mão em mão até finalmente ser entregue aos cuidados de freiras. *Tanto calor, tanto calor!*, ela geme na cama do convento onde está morrendo de *la mal'aria*. *Por que se esqueceu de mim?*

Por que o pai não responde? Porque ele se cansou da vida; porque prefere voltar para o lugar de onde veio, na outra margem da morte, mergulhado em seu velho sono. *Minha pobre criança!*, Byron canta, cambaleando, sem querer, baixo demais para ela escutar. Sentado nas sombras a um lado, o trio de instrumentistas toca o motivo *berceuse*, uma frase subindo, outra baixando, que é o motivo de Byron.

21.

Rosalind telefona. "Lucy disse que você está de volta. Por que não entrou em contato?" "Ainda não estou pronto para a sociedade humana", ele responde. "E alguma vez esteve?", Rosalind comenta, seca.

Encontram-se em um café em Claremont. "Você emagreceu", ela diz. "O que aconteceu com sua orelha?" "Não é nada", ele responde, e não dá maiores explicações.

Enquanto conversam, seus olhos insistem em voltar para a orelha deformada. Ela estremeceria, ele tem certeza, se tivesse de tocá-la. Não é do tipo que cuida. Suas melhores lembranças ainda são dos primeiros meses que passaram juntos: noites quentes de verão em Durban, lençóis molhados de suor, o corpo alongado e pálido de Rosalind se debatendo de um lado para outro nas garras do prazer que ele mal conseguia distinguir da dor. Dois sensualistas: foi isso que os manteve juntos, enquanto durou.

Conversam sobre Lucy, sobre a fazenda. "Pensei que tinha uma amiga vivendo lá com ela", diz Rosalind. "Grace."

"Helen. Helen voltou para Johannesburgo. Desconfio que elas terminaram para sempre."

"É seguro Lucy morar sozinha naquele lugar isolado?"

"Não, não é seguro, seria loucura dela achar que está segura. Mas vai continuar lá mesmo assim. Transformou isso em ponto de honra."

"Você disse que seu carro foi roubado."

"Culpa minha mesmo. Devia ter tomado mais cuidado."

"Esqueci de dizer: fiquei sabendo da história do seu julgamento. A verdadeira história."

"Julgamento?"

"Inquérito, investigação, qualquer coisa. Ouvi dizer que você não se saiu bem."

"Ah, é? E como você ficou sabendo? Achei que fosse confidencial."

"Isso não interessa. Ouvi dizer que você não causou boa impressão. Que foi muito rígido e fechado."

"Eu não estava tentando causar boa impressão. Estava defendendo um princípio."

"Pode ser, David, mas você já devia saber que julgamentos não têm nada a ver com princípios, têm a ver com o jeito como você se mostra. O que minha fonte contou foi que você se mostrou muito mal. Que princípio era esse que você estava defendendo?"

"A liberdade de expressão. A liberdade de ficar calado."

"Parece muito grandioso. Mas você sempre foi mesmo um grande autoenganador, David. Um grande enganador e um grande autoenganador. Tem certeza de que não se tratava só de um caso de alguém pego com as calças na mão?"

Ele não morde a isca.

"De qualquer forma, fosse qual fosse esse princípio, era obscuro demais para a sua plateia. Eles acharam que você foi muito pouco claro. Devia ter se aconselhado com alguém antes. Como é que vai ganhar a vida agora? Tiraram sua pensão?"

"Vou pegar de volta o que investi. Vou vender a casa. É grande demais para mim."

"E como vai passar o tempo? Vai procurar emprego?"

"Acho que não. Estou muito ocupado. Escrevendo uma coisa."

"Um livro?"

"Uma ópera, na verdade."

"Uma ópera! Bom, isso é novidade. Espero que ganhe um monte de dinheiro. Vai morar com a Lucy?"

"A ópera é só um hobby, uma brincadeira para me ocupar. Não vai dar dinheiro. Não, não vou morar com Lucy. Não seria uma boa ideia."

"Por que não? Vocês dois sempre se deram bem. Aconteceu alguma coisa?"

As perguntas dela eram invasivas, mas Rosalind nunca teve nenhum problema em ser invasiva. "Você dormiu na mesma cama que eu durante dez anos", ela disse uma vez. "Por que fazer segredo comigo?"

"Lucy e eu ainda nos damos bem", ele respondeu. "Mas não o suficiente para morar juntos."

"Essa é a história da sua vida."

"É."

Faz-se um silêncio enquanto os dois ponderam, de seus respectivos pontos de vista, a história da vida dele.

"Vi a sua namorada", Rosalind diz, mudando de assunto.

"Minha namorada?"

"Sua *inamorata*. Melanie Isaacs, não é assim que ela chama? Está numa peça no Teatro Dock. Não sabia? Dá para entender por que você ficou caído por ela. Olhos escuros, grandes. Corpinho gostosinho. Bem o seu tipo. Você deve ter achado que ia ser mais um dos seus casinhos, dos seus pecadilhos. E agora, olhe só. Jogou fora a sua vida inteira, e para quê?"

"Não joguei fora a minha vida, Rosalind. Pense um pouco."

"Jogou, sim! Perdeu o emprego, seu nome está na lama, seus amigos evitam você, escondido lá na Torrance Road feito uma tartaruga com medo de botar a cabeça para fora do casco. Gente que não é digna de amarrar os cordões do seu sapato faz piadas a seu respeito. Sua camisa não está passada, Deus sabe quem fez esse seu corte de cabelo..." Ela interrompe a tirada. "Você vai acabar feito um daqueles velhos coitados que reviram lata de lixo."

"Vou acabar é numa cova", ele diz. "E você também. Todos nós."

"Chega, David, já estou bem chateada com o pé em que as coisas estão, não quero começar uma discussão." Ela pega os pacotes. "Quando cansar de comer pão com geleia, me telefone que eu faço comida para você."

A menção a Melanie Isaacs o inquieta. Ele nunca foi dado a relacionamentos prolongados. Quando um caso termina, deixa para trás. Mas algo ficou incompleto na história com Melanie. Lá no fundo dele o cheiro dela ficou guardado, o cheiro de uma parelha. Será que ela lembra do cheiro dele também? *Bem o seu tipo*, disse Rosalind, que deve saber. E se os caminhos deles se cruzassem de novo, dele e de Melanie? Haveria um estalo de sentimento, um sinal de que o caso não seguiu seu rumo?

E, no entanto, a simples ideia de retomar Melanie é maluca. Por que ela haveria de falar com o homem que foi condenado como seu perseguidor? O que ela ia pensar dele, afinal — o idiota de orelha esquisita, cabelo mal cortado e colarinho amassado?

O casamento de Cronos e Harmonia: antinatural. Foi isso que o julgamento se propôs a punir, tirando-se todas as belas palavras. Julgado por seu modo de vida. Por atos antinaturais: por espalhar semente velha, semente cansada, semente que não fecunda, *contra naturam*. Se velhos comerem meninas, qual será o futuro da espécie? No fundo, essa era a acusação. Metade da literatura versa sobre isso: jovens lutando para escapar do peso de velhos, em prol da espécie.

Ele suspira. A jovem nos braços de outro, desatenta, embalada pela música sensual. País ingrato, este, para os velhos. Parece estar passando muito tempo a suspirar. Lamentando: uma nota lamentosa para se retirar.

Até dois anos antes o Teatro Dock era um velho armazém onde ficavam penduradas as carcaças de porcos e bois esperando para ser transportadas além-mar. Agora, é uma moderna área de entretenimento. Ele chega tarde, encontra sua poltrona quando as luzes já estão se apagando. "A pedidos, grande sucesso volta a cartaz": era assim que estava anunciada a nova produção de *Pôr do sol no salão Globe*. O cenário é mais estiloso, a direção mais profissional, o ator principal é novo. Mesmo assim, ele acha a peça, com seu humor direto e intenções políticas deslavadas, tão difícil de engolir quanto antes.

Melanie ficou com seu papel de Glória, a cabeleireira aprendiz. Usando um cafetã rosa por cima de meias de lamê dourado, maquiada demais, o cabelo alto cheio de cachos, ela anda pelo palco sobre saltos altos. Suas falas são previsíveis, mas ela as diz com hábil domínio de ritmo e convincente sotaque *kaaps*. No geral, está mais segura do que antes. Na verdade, está bem no papel, definitivamente talentosa. Será possível que nos meses que ele esteve fora ela tenha crescido, se encontrado? O *que não mata, engorda.* Talvez o julgamento tenha sido um julgamento para ela também; talvez também tenha sofrido, e sobrevivido.

Ele gostaria de um sinal. Se percebesse um sinal saberia o que fazer. Se, por exemplo, aquela roupa absurda se queimasse no corpo dela com uma chama fria, particular, e ela ficasse ali na frente dele, numa revelação secreta só para ele, tão nua e perfeita quanto naquela última noite no antigo quarto de Lucy.

Os espectadores sentados a seu lado, de caras vermelhas, confortáveis em seus corpos carnudos, estão gostando da peça. Se identificaram com Melanie-Glória; sorriem das piadas de duplo sentido, gargalham alto quando os personagens trocam ofensas e insultos.

Embora sejam seus conterrâneos, não podia se sentir mais estranho ao lado deles, mais impostor. Porém quando riem das falas de Melanie, não consegue evitar uma onda de orgulho. *Minha!*, gostaria de dizer, olhando para eles, como se ela fosse sua filha.

Sem avisar, aflora uma lembrança de anos antes: alguém para quem deu carona na N1, nos arredores de Trompsburg, uma moça de seus vinte e poucos anos, viajando sozinha, uma turista alemã, queimada de sol e coberta de poeira. Foram até Touws River, se hospedaram num hotel; comeram juntos, dormiram juntos. Ele se lembra de suas pernas longas, magras; lembra-se da maciez de seu cabelo, da leveza de pluma entre seus dedos.

Numa súbita e silenciosa explosão, como se entrasse de repente em um sonho acordado, uma torrente de imagens começa a fluir, imagens de mulheres que conheceu em dois continentes, algumas tão distantes no tempo que mal as reconhece. Como folhas sopradas pelo vento, misturadas, elas passam diante dele. *Um claro campo coberto de criaturas*: centenas de vidas ligadas à dele. Prende a respiração, querendo que a visão prossiga.

O que aconteceu com elas, todas essas mulheres, todas essas vidas? Haverá momentos em que elas também, ou algumas delas, são mergulhadas, sem aviso prévio, num oceano de lembranças? A menina alemã: será possível que nesse mesmo instante esteja lembrando do homem que lhe deu uma carona em uma estrada da África e que passou a noite com ela?

Enriquecedora: foi essa a palavra que os jornais pegaram para ridicularizar. Uma palavra estúpida de se deixar escapar, naquelas circunstâncias, e no entanto agora, nesse momento, ele a reforça. Por Melanie, pela menina de Touws River; por Rosalind, Bev Shaw, Soraya: com todas ele saiu enriquecido, e com outras também, até a menos importante delas, até os erros. Como uma flor que se abre em seu peito, seu coração se enche de gratidão.

De onde surgem momentos como esse? Hipnagógicos, sem dúvida; mas como explicar? Se está sendo levado, que deus o está levando?

A peça continua rolando. Chegaram ao ponto em que Melanie engancha a vassoura no fio elétrico. Uma explosão de magnésio e o palco fica, de repente, mergulhado em escuridão. *"Meu Deus do céu, jou dom meid!, que menina besta eu sou!"*, berra a cabeleireira.

Entre ele e Melanie existem vinte filas de cadeiras, mas ele espera que nesse momento, através desse espaço, ela seja capaz de sentir o cheiro dele, de sentir o cheiro de seus pensamentos.

Alguma coisa passa roçando ligeiramente sua cabeça, chamando-o de volta ao mundo. Um momento depois outro objeto passa por ele e cai na poltrona à sua frente: uma bola de papel mascado do tamanho de uma bola de gude. Uma terceira o atinge no pescoço. Ele é o alvo, sem dúvida nenhuma.

Deveria virar e olhar. *Quem fez isso?*, deveria vociferar. Ou continuar olhando em frente, fingindo não ter sentido nada.

Um quarto projétil atinge seu ombro e voa no ar. O homem a seu lado dá uma olhada intrigada.

No palco, a ação prossegue. Sidney, a cabeleireira, está abrindo o envelope fatal e lendo em voz alta o ultimato do locador. Têm até o fim do mês para pagar o aluguel, senão o Globe vai ter de fechar as portas. "O que a gente vai fazer?", choraminga Miriam, a lavadora de cabelos.

"*Shh*", vem um chiado atrás dele, tão baixo que não é ouvido à frente da plateia. "*Shh*."

Ele se volta, e uma bolota de papel o atinge na têmpora. Encostado na parede do fundo está Ryan, o namorado de brinco e cavanhaque. Seus olhos se encontram. "Professor Lurie!", Ryan sussurra, rouco. Apesar do comportamento ultrajante, parece perfeitamente à vontade. Tem um pequeno sorriso nos lábios.

A peça continua, mas formou-se à sua volta uma onda de agitação. "*Shh*", Ryan chia de novo. "Quieto!", protesta uma mulher duas filas atrás, dirigindo-se a ele, que não abriu a boca.

Tem de passar por cinco pares de joelhos ("Com licença... com licença..."), aguentar olhares, murmúrios, antes de chegar ao corredor, sair, e se ver na noite ventosa, sem lua.

Um som atrás dele. Volta-se. A ponta de um cigarro se acende: Ryan veio atrás dele até o estacionamento.

"Vai se explicar?", diz de repente. "Vai explicar essa atitude de criança?"

Ryan fuma o cigarro. "Estou lhe fazendo um favor, professor. Não aprendeu a lição?"

"Que lição?"

"Vá procurar sua turma."

Sua turma: quem é esse rapaz para lhe dizer quem é sua turma? O que sabe da força que atrai estranhos totais para os braços um do outro, tornando-os próximos, iguais, contra toda prudência? *Omnis gens quaecumque se in se perficere vult.* A semente da geração, decidida a se aperfeiçoar, mergulhando decidida no corpo da mulher, determinada a dar origem ao futuro. Decidida, determinada.

Ryan está falando. "Deixe ela em paz, cara! Melanie vai cuspir na sua cara se aparecer na frente dela." Ele joga o cigarro e chega mais perto. Debaixo das estrelas tão brilhantes os dois parecem incendiados, um diante do outro. "Vai viver a sua vida, professor. Pode crer."

Ele volta devagar pela Main Road em Green Point. *Cuspir na sua cara*: não esperava isso. Sua mão treme na direção. Os choques da existência: tem de aprender a receber as coisas com mais calma.

A moças da rua estão de plantão; em um farol, uma delas chama sua atenção, uma moça alta com uma minúscula saia de couro. *Por que não*, pensa, *nesta noite de revelações?*

Estacionam em um beco sem saída na subida da Signal Hill. A menina está bêbada ou talvez drogada; ele não consegue que diga nada coerente. Mesmo assim, faz seu serviço o melhor que se pode esperar. Depois, fica deitada em seu colo, descansando. É mais nova do que parecia à luz da rua, ainda mais jovem que Melanie. Ele põe a mão em sua cabeça. O tremor passou. Está tonto, satisfeito; também estranhamente protetor.

Então era isso que estava faltando!, pensa. *Como posso ter esquecido?*

Não um bom homem, nem mau tampouco. Não frio, nem quente, mesmo no clímax da excitação. Não pelos critérios de Teresa; nem mesmo pelos de Byron. Sem fogo. Será esse o seu veredicto, o veredicto do universo com seu olho que tudo vê?

A menina se mexe, senta-se. "Para onde vai me levar?", murmura.

"De volta para o lugar onde peguei você."

22.

Ele mantém contato com Lucy por telefone. Nas conversas, ela se esforça para garantir que está indo tudo bem na fazenda, ele, para dar a impressão de que não duvida dela. Lucy conta que está trabalhando muito nos canteiros de flores, que a colheita de primavera está abrindo agora. Está reativando os canis. Tem dois cachorros aos seus cuidados e espera mais. Petrus está ocupado com sua casa, mas não a ponto de não poder ajudar. Os Shaw são visitas frequentes. Não, não precisa de dinheiro.

Mas alguma coisa no tom de Lucy o incomoda. Ele telefona para Bev Shaw. "Você é a única que pode me contar", diz. "Como Lucy está, de verdade?"

Bev Shaw é reservada. "O que ela disse para você?"

"Disse que está tudo bem. Mas parece um zumbi. Parece que está tomando tranquilizantes. Está?"

Bev Shaw evita a pergunta. Porém, diz, e parece procurar as palavras cuidadosamente, há "novidades".

"Que novidade?"

"Não posso dizer, David. Não faça isso comigo. Lucy é que vai ter de contar."

Ele liga para Lucy. "Tenho de ir até Durban", ele diz, mentindo. "Um possível emprego. Posso parar aí uns dois dias?"

"Andou falando com Bev?"

"Bev não tem nada a ver com isso. Posso ir?"

Vai de avião até Port Elizabeth e aluga um carro. Duas horas depois sai da estrada, na trilha que leva à fazenda. A fazenda de Lucy, o pedaço de terra de Lucy.

Sua terra também? Ele não sente a terra como sua. Apesar do tempo que passou ali, dá a sensação de terra estrangeira.

As coisas estão diferentes. Uma cerca de arame, não muito bem construída, marca agora o limite entre a propriedade de Lucy e a de Petrus. Do lado de Petrus, pastam duas bezerras magras. A casa de Petrus já se tornou realidade. Cinzenta e sem estilo, erguida em um promontório a leste da velha casa de fazenda; de manhã, ele imagina, deve fazer uma longa sombra.

Lucy abre a porta usando um vestido sem forma que pode ser também uma camisola. Seu ar de boa saúde desapareceu. Parece ensebada, não lavou os cabelos. Retribui sem calor o seu abraço. "Entre", diz. "Estava fazendo chá."

Sentam-se à mesa da cozinha. Ela serve o chá, passa para ele um pacote de salgadinhos de gengibre. "Como é esse emprego em Durban?", pergunta.

"Isso pode esperar. Estou aqui, Lucy, porque fiquei preocupado com você. Está tudo bem?"

"Estou grávida."

"O quê?"

"Estou grávida."

"De quem? Daquele dia?"

"Daquele dia."

"Não entendo. Pensei que tivesse se cuidado, com a sua clínica geral."

"Não."

"Como não? Quer dizer que não tomou nenhuma providência?"

"Tomei. Tomei todas as providências razoáveis, menos o que você está insinuando. Mas não vou fazer um aborto. Não estou preparada para passar por isso de novo."

"Não sabia que você pensava assim. Nunca me disse que não acreditava em aborto. E por que haveria de se pensar em aborto? Pensei que você tivesse tomado a pílula."

"Não tem nada a ver com acreditar ou não. E eu nunca disse que tomei a pílula."

"Podia ter me contado antes. Por que escondeu de mim?"

"Porque não quero encarar uma das suas explosões. David, não posso levar a minha vida pensando se você vai gostar ou não do que eu faço. Não mais. Você age como se tudo que eu faço fosse parte da história da sua vida. Você é o personagem principal, eu sou um personagem secundário que só aparece na metade. Bom, ao contrário do que você acha, as pessoas não se dividem em principais e secundárias. Eu não sou secundária. Tenho uma vida minha, tão importante para mim quanto a sua para você, e na minha vida sou eu que tomo as decisões."

Uma explosão? E isso não é uma explosão também? "Chega, Lucy", ele diz, pegando a mão dela sobre a mesa. "Está me dizendo que vai ter essa criança?"

"Vou."

"Um filho de um daqueles homens?"

"É."

"Por quê?"

"Por quê? Eu sou uma mulher, David. Acha que detesto

crianças? Tenho de fazer uma opção contrária à criança só por causa do pai que ela tem?"

"Não seria a primeira. Para quando está esperando?"

"Maio. Fim de maio."

"E já resolveu?"

"Já."

"Tudo bem. Estou chocado, confesso, mas fico do seu lado, seja qual for sua decisão. Isso nem se discute. Agora vou sair para dar uma volta. Podemos conversar de novo depois."

Por que não podem conversar agora? Porque ele está abalado. Porque também há o perigo de explodir.

Ela não está preparada, diz, para passar por tudo aquilo de novo. Portanto, já fez um aborto antes. Ele jamais imaginaria. Quando pode ter sido? Quando ainda morava com ele? Será que Rosalind sabe e nunca contou nada?

A gangue de três. Três pais em um. Estupradores, mais do que ladrões, foi o que Lucy disse deles. Um misto de estupradores e cobradores de impostos rondando a região, atacando mulheres, se entregando a seus prazeres violentos. Bem, Lucy estava errada. Eles não estavam estuprando, estavam acasalando. Não era o princípio do prazer que os impulsionava, mas os testículos, sacos cheios de sementes ansiando por se aperfeiçoar. E agora, eia, pois, *um filho!* Ele já está chamando de *filho* quando não passa de um verme no útero de sua filha. Que tipo de filho pode nascer de uma semente daquelas, semente enfiada na mulher não por amor, mas por ódio, misturada caoticamente, com a intenção de sujá-la, de marcá-la, como urina de cachorro?

Um pai sem a sensação de ter um filho: é assim que tudo vai terminar, é assim que sua linhagem vai se encerrar, como água escorrendo para dentro da terra? Quem desejaria isso! Um dia como outro qualquer, céu claro, sol ameno, e, no entanto, de repente tudo mudou, mudou completamente!

Encostado no muro de fora da cozinha, com o rosto escondido nas mãos, ele arfa, arfa, e finalmente chora.

Instala-se no antigo quarto de Lucy, que ela não retomou. Evita-a durante o resto da tarde, temendo acabar sendo áspero.

Durante o jantar, uma nova revelação. "A propósito", diz ela, "o rapaz voltou."

"Rapaz?"

"É, aquele rapaz por causa de quem você brigou na festa do Petrus. Está morando com o Petrus, ajudando. O nome dele é Pollux."

"Não é Mncedisi? Nem Nqabayakhe? Nada impronunciável, só Pollux?"

"P-O-L-L-U-X. David, será que dá para segurar essa sua terrível ironia?"

"Não sei do que está falando."

"Claro que sabe. Durante anos você usou essa ironia contra mim quando eu era criança, para me torturar. Não pode ter esquecido. Acontece que Pollux é irmão da mulher de Petrus. Não sei se irmão de verdade. Mas Petrus deve obrigações a ele, obrigações de família."

"Então as coisas começam a vir à tona. O jovem Pollux volta à cena do crime e nós temos de nos portar como se nada tivesse acontecido."

"Não fique zangado, David, não adianta nada. O que Petrus disse é que Pollux largou a escola e não consegue arrumar emprego. Só quero que saiba que ele está por aqui. Eu manteria distância se fosse você. Acho que tem algum problema. Mas não posso expulsar da propriedade, não está em minhas mãos."

"Principalmente...", mas ele não conclui a frase.

"Principalmente o quê? Diga."

"Principalmente quando ele pode ser o pai do filho que você vai ter. Lucy, esta situação está ficando ridícula, pior que ridícula, sinistra. Não entendo como não percebe. Eu imploro, vamos embora da fazenda antes que seja tarde demais. É a única coisa sadia a se fazer."

"Pare de chamar isto aqui de *fazenda*, David. Não é uma fazenda, é só um pedaço de terra para cultivar coisas, nós dois sabemos disso. Não, eu não vou desistir."

Ele vai para a cama com o coração pesado. Nada mudou entre ele e Lucy, nada se curou. Eles avançam um em cima do outro como se ele não tivesse ido embora.

É de manhã. Ele salta a cerca recém-construída. A mulher de Petrus está pendurando a roupa lavada atrás do velho estábulo. "Bom dia", ele diz. "*Molo*. Quero falar com Petrus."

Ela não olha para ele, apenas aponta vagarosamente para a construção. Seus movimentos são lentos, pesados. Está quase na hora: dá para perceber.

Petrus está envidraçando as janelas. Devia haver uma longa troca de saudações, mas ele não está disposto a nada disso. "Lucy me disse que o rapaz voltou", diz. "Pollux. O rapaz que atacou a Lucy."

Petrus limpa a faca, deixa de lado. "Ele é meu parente", diz, rolando os *rr*. "Tenho de mandar embora por causa dessa coisa que aconteceu?"

"Você me disse que não conhecia o rapaz. Mentiu para mim."

Petrus coloca o cachimbo entre os dentes manchados e aspira com vigor. Depois tira o cachimbo da boca e abre um grande sorriso. "Menti", ele diz. "Menti para você." Pita de novo. "Por que tinha de mentir para você?"

"Não pergunte para mim, Petrus, pergunte para você mesmo. Por que mentiu?"

O sorriso desaparece. "Vá embora. Voltou aqui... para quê?" Encara-o, desafiador. "Não tem o que fazer aqui. Veio cuidar da sua filha. Quer cuidar do meu filho também."

"Seu filho? Agora ele é seu filho, esse Pollux?"

"É. É um filho. É da minha família, meu povo."

Então é isso. Basta de mentiras. *Meu povo*. A resposta direta que ele queria. Bem, Lucy é o *seu povo*.

"Você diz que foi ruim o que aconteceu", Petrus continua. "Eu também acho ruim. É ruim. Mas acabou." Tira o cachimbo da boca, corta o ar com ele, veemente. "Acabou."

"Não, não acabou. Não finja que não sabe do que eu estou falando. Não acabou. Ao contrário, está apenas começando. Vai continuar muito depois de eu ter morrido e de você ter morrido."

Petrus fica olhando, pensativo, sem fingir que não entende. "Ele casa com ela", diz, afinal. "Ele casa com Lucy, só que é moço demais, moço demais para casar. Ainda é criança."

"Uma criança perigosa. Um jovem atacante. Um menino chacal."

Petrus ignora os insultos. "É, é moço demais, demais. Quem sabe um dia ele casa, mas agora não. Eu caso."

"Você casa com quem?"

"Eu caso com Lucy."

Ele não acredita no que está ouvindo. Então era isso, todo o drible era para isso: essa proposta, esse golpe! E ali está Petrus inteiro, pitando o cachimbo vazio, esperando uma resposta.

"Você se casar com Lucy", diz cuidadosamente. "Me explique o que isso quer dizer. Não, espere; melhor, nem explique. Não quero ouvir mais nada. Não é assim que nós fazemos as coisas."

Nós: está a ponto de dizer, *Nós, ocidentais.*

"É, estou vendo, estou vendo", diz Petrus. Está rindo. Rindo. "Mas eu digo para você, você diz para Lucy. E aí acaba, toda essa ruindade."

"Lucy não quer casar com você. Ela não quer casar com homem nenhum. Não foi isso que ela escolheu. Não dá para falar mais claro do que isso. Ela quer viver a vida dela."

"É, eu sei", Petrus diz. E talvez saiba mesmo. Seria bobagem subestimar Petrus. "Mas aqui", diz Petrus, "é perigoso, muito perigoso. Mulher tem de casar."

"Eu tentei levar com cuidado", ele conta a Lucy, depois. "Mas não dava para acreditar no que estava escutando. Era chantagem pura e simples."

"Não era chantagem. Você está errado. Espero que não tenha perdido o controle."

"Não, não perdi o controle. Disse que ia comunicar a proposta dele, só isso. Disse que duvidava que você estivesse interessada."

"Você ficou ofendido?"

"Ofendido com a perspectiva de ser sogro de Petrus? Não. Fiquei chocado, perplexo, tonto, mas não, ofendido não, pode acreditar."

"Porque fique sabendo que não é a primeira vez. Petrus já está insinuando isso faz algum tempo. Que seria mais seguro eu fazer parte da família dele. Não é uma piada, nem uma ameaça. De alguma forma, ele está falando sério."

"Não tenho dúvida de que de alguma forma ele está falando sério. A questão é, de que forma? Ele sabe que você...?"

"O quê? Da minha orientação? Não contei para ele. Mas tenho certeza que ele e a mulher já juntaram coisa com coisa."

"E nem assim ele muda de ideia?"

"Por que mudaria? Vai me fazer ainda mais parte da família. De qualquer modo, não sou eu que ele quer, é a fazenda. A fazenda é o meu dote."

"Mas isso é ridículo, Lucy! Ele já é casado! Você me disse até que tem duas mulheres. Como você pode pensar nisso?"

"Não acho que você vá entender, David. Petrus não está me oferecendo um casamento da igreja e depois uma lua de mel na Wild Coast. Está me oferecendo uma aliança, um acordo. Eu contribuo com a terra, em troca ele me deixa ficar debaixo da asa dele. Senão, e isso é o que ele quer que eu entenda, vou estar sem proteção; é um jogo limpo."

"Então não é chantagem? E o lado pessoal? Não tem nenhum lado pessoal nessa proposta?"

"Você quer saber se Petrus não vai querer dormir comigo? Não acho que Petrus vá querer dormir comigo, a não ser para deixar clara a sua posição. Francamente, eu não quero ir para a cama com Petrus. De jeito nenhum."

"Então não temos mais o que discutir. Devo comunicar a Petrus a sua decisão, que você não aceita a proposta, sem dizer por quê?"

"Não. Espere um pouco. Não vá levantando o nariz para o Petrus, não, pense bem qual é a minha situação. Objetivamente sou uma mulher sozinha. Não tenho irmão. Tenho pai, mas ele está longe e, de qualquer forma, é impotente nos termos que importam aqui. Quem pode me proteger, ser meu patrono? Ettinger? Ettinger vai acabar com uma bala nas costas, é só questão de tempo. Falando em termos práticos, sobra apenas Petrus. Petrus pode não ser um grande homem, mas é grande o bastante para alguém tão pequena como eu. E pelo menos eu conheço o Petrus. Não tenho ilusões a respeito dele. Sei no que estaria me metendo."

"Lucy, estou vendendo a casa da Cidade do Cabo. Tenho condições de mandar você para a Holanda. Posso também dar tudo o que você precisa para se estabelecer em algum outro lugar mais seguro que aqui. Pense nisso."

É como se ela não tivesse escutado. "Voltando a Petrus", diz, "proponha o seguinte: diga que aceito a proteção dele. Diga que pode contar a história que quiser sobre o relacionamento entre nós dois, que não vou desmentir. Se quiser que achem que sou a terceira esposa, tudo bem. Que sou a concubina, ótimo. Mas aí o filho tem de ser dele também. O filho passa a fazer parte da família. Quanto à terra, diga que eu passo a terra para ele, contanto que a casa continue sendo minha. Eu viro locatária na minha própria terra."

"Uma *bywoner*."

"Uma *bywoner*. Mas a casa continua minha, repito. Ninguém entra na minha casa sem minha permissão. Inclusive ele. E eu fico com os canis."

"Não dá para ser assim, Lucy. Legalmente, não dá para fazer uma coisa dessas. Você sabe disso."

"Então o que você propõe?"

Ela está de penhoar e chinelo com o jornal do dia anterior no colo. O cabelo escorrido; gorda, de uma gordura desleixada e pouco saudável. Mais e mais começa a se parecer com aquelas mulheres que vagam pelos corredores dos asilos, resmungando consigo mesmas. Por que Petrus irá se dar ao trabalho de negociar? Ela não vai resistir: basta deixá-la sozinha que acabará caindo como uma fruta podre.

"Já fiz minha proposta. Duas propostas."

"Não, eu não vou embora. Vá e diga para o Petrus o que eu disse. Diga que eu desisto da terra. Diga que pode ficar com ela, com escritura e tudo. Ele vai adorar isso."

Há uma pausa.

"Que humilhação", ele diz afinal. "Tantos projetos para terminar assim."

"É, eu concordo, é humilhante. Mas talvez seja um bom ponto para começar de novo. Talvez seja isso que eu tenha de aprender a aceitar. Começar do nada. Com nada. Não com nada, mas... Com nada. Sem cartas, sem armas, sem propriedade, sem direitos, sem dignidade."

"Feito um cachorro."

"É, feito um cachorro."

23.

Meio da manhã. Ele está fora, levando a buldogue Katy para dar uma volta. Surpreendentemente, Katy ficou ao lado dele, ou porque ele está mais lento ou porque ela está mais rápida. Ela bufa e ofega como antes, mas isso não o irrita mais.

Quando está se aproximando da casa, vê o rapaz, o rapaz que Petrus chama de *meu povo*, parado de cara para a parede dos fundos. Primeiro, pensa que o rapaz está urinando, depois percebe que está olhando pela janela do banheiro, espiando Lucy.

Katy começou a grunhir, mas o rapaz está absorto demais para perceber. Quando se volta, os dois já estão ao lado dele. Ele bate com a mão aberta na cara do rapaz. "*Seu porco!*", grita, e bate uma segunda vez, de forma que ele cambaleia. "*Seu porco imundo!*"

Mais assustado que ferido, o rapaz tenta correr, mas tropeça nos próprios pés. A cachorra pula em cima dele. Os dentes dela se fecham em seu cotovelo; ela finca as patas da frente e puxa, rosnando. Com um grito de dor, ele tenta se soltar. Tenta bater com os punhos, mas seus socos estão sem força e a cachorra os ignora.

A palavra ainda está vibrando no ar: *Porco!* Nunca sentiu uma raiva tão visceral. Gostaria de dar ao rapaz o que ele merece: uma boa surra. Frases que evitou a vida inteira parecem de repente justas, corretas: *Ensinar uma lição. Colocar no seu devido lugar.* Então é assim, pensa! Então ser selvagem é isso!

Dá um bom e forte chute no menino, e ele cai de lado. Pollux! Que nome!

A cachorra muda de posição, montada no corpo do rapaz, puxando seu braço, rasgando a camisa. O rapaz tenta se livrar, mas ela não se mexe. "Ai ai ai ai ai!", ele grita, de dor. "Eu mato!", ele grita.

Então, Lucy entra em cena. "Katy!", ela ordena.

A cachorra olha para ela, mas não obedece.

Lucy se põe de joelhos, pega a coleira da cachorra, fala baixo e depressa. Relutante, a cachorra solta.

"Tudo bem com você?", ela pergunta.

O rapaz está gemendo de dor. Ranho escorrendo do nariz. "Eu mato!", ele geme. Parece a ponto de chorar.

Lucy arregaça a manga dele. Há marcas dos dentes da cachorra; enquanto estão olhando, pérolas de sangue brotam da pele escura.

"Venha aqui, vamos lavar isso", ela diz. O rapaz engole o ranho e as lágrimas, sacode a cabeça.

Lucy está apenas de roupão. Quando se levanta, o cinto se solta e ela fica de seios nus.

A última vez que viu os seios da filha eram meros brotos de uma menina de seis anos de idade. Agora estão pesados, redondos, quase leiteiros. Instala-se uma quietude. Ele fica olhando; o rapaz também está olhando, abertamente. A raiva torna a dominá-lo, toldando seus olhos.

Lucy vira as costas para os dois, cobre-se. Num único movimento, o rapaz se põe de pé e corre para fora de alcance. "Nós vamos matar vocês todos!", ele grita. Volta-se; pisando deliberadamente o canteiro de batatas, passa por baixo da cerca de arame e se encaminha para a casa de Petrus. Embora segurando o braço, seu porte é de novo arrogante.

Lucy tem razão. Tem alguma coisa errada com ele, com a cabeça dele. Uma criança violenta no corpo de um rapaz. Mas tem mais alguma coisa, algum ângulo da história que ele não entende. Por que Lucy protege o rapaz?

Lucy fala. "Isso não pode continuar assim, David. Eu dou conta de Petrus e seus *aanhangers*, asseclas, dou conta de você, mas não dou conta de todos juntos."

"Ele estava espiando você pela janela. Sabia disso?"

"Ele é perturbado. Não é um menino normal."

"E isso é desculpa? Desculpa para o que ele fez com você?"

Os lábios de Lucy se movem, mas ele não escuta o que diz.

"Não confio nele", continua. "É dissimulado. Como um chacal farejando, querendo dar o bote. Antigamente, gente assim se chamava deficiente. Deficiente mental. Moralmente deficiente. Devia ser internado numa instituição."

"Essa conversa não leva a nada, David. Se é assim que pensa, por favor, guarde para você. Além disso, o que você acha dele não tem a menor importância. Ele está aqui, não vai desaparecer na fumaça, é um fato da vida." Ela o encara, direta, apertando os olhos por causa do sol. Katy está deitada a seus pés, ofegando ligeiramente, contente consigo mesma, com sua conquista. "David, não dá para continuar assim. Estava tudo assentado, tudo em paz de novo, até você voltar. Preciso de paz à minha volta. Estou pronta para fazer qualquer coisa, qualquer sacrifício, para ter paz."

"E eu sou parte do que você está preparada para sacrificar?"

Ela dá de ombros. "Você que está dizendo."
"Vou fazer as malas."

Horas depois do incidente, sua mão ainda está formigando por causa dos tapas. Quando pensa no rapaz e em suas ameaças, espuma de raiva. Ao mesmo tempo, está envergonhado consigo mesmo. Condena-se intimamente. Não ensinou lição nenhuma a ninguém, ao rapaz com certeza não. Tudo o que fez foi se afastar de Lucy ainda mais. Mostrou-se a ela nas garras da paixão, e ela claramente não gostou do que viu.

Devia se desculpar. Mas não consegue. Aparentemente, não está em controle de si mesmo. Algo em Pollux o lançou num ataque de raiva: seus olhinhos feios, opacos, sua insolência, mas também a ideia de que, como uma erva daninha, ele misturou suas raízes com Lucy e com a existência de Lucy.

Se Pollux insultar sua filha de novo, ele vai bater de novo. *Du musst dein Leben ändern!*: você tem de mudar de vida. Mas ele está velho demais para ouvir, velho demais para mudar. Lucy pode ser capaz de curvar-se à tempestade; ele não, não com honra.

Por isso tem de dar ouvidos a Teresa. Teresa pode ser a última capaz de salvá-lo. Teresa está além da honra. Ela empina os seios para o sol; ela toca o banjo na frente dos criados e não se importa se caçoam. Ela tem desejos imorais, e canta os seus desejos. Ela não morre.

Chega à clínica justamente quando Bev Shaw está saindo. Os dois se abraçam, desajeitados como estranhos. Difícil acreditar que estiveram nus nos braços um do outro.

"É só uma visita ou vai ficar um tempo?", ela pergunta.

"Vou ficar o quanto for necessário. Mas não vou ficar com Lucy. Ela e eu não estamos combinando. Vou procurar um quarto para mim na cidade."

"Sinto muito. Qual é o problema?"

"Entre mim e Lucy? Nada, acho. Nada que possa se resolver. O problema é com as pessoas com quem ela vive. Quando eu chego, fica tudo demais. Demais em um espaço muito pequeno. Como aranhas dentro de uma garrafa."

Vem-lhe uma imagem do *Inferno*: o grande pântano do Styx, com as almas fervendo como cogumelos. *Vedi l'anime di color cui vinse l'ira*. Almas dominadas pela raiva, uma mordendo a outra. Punição adequada ao crime.

"Você está pensando naquele rapaz que foi morar com o Petrus. Pois eu também não gosto da cara dele. Mas enquanto o Petrus estiver lá, com certeza Lucy vai estar segura. Talvez tenha chegado a hora, David, de você sair de cena e deixar Lucy solucionar as coisas sozinha. As mulheres se adaptam. Lucy se adapta. Ela é jovem. Vive com os pés no chão, mais que você. Mais que nós dois."

Lucy adaptável? Não é o que ele percebe. "Vocês ficam me dizendo para não interferir", diz. "Se eu não tivesse interferido, o que teria acontecido com Lucy?"

Bev Shaw fica em silêncio. Será que ela vê nele alguma coisa que ele não percebe? Os animais confiam nela, e ela usava essa confiança para sacrificá-los. Que lição tem para tirar dali?

"Se eu me afastar", prossegue, "e algum outro desastre acontecer na fazenda, como é que eu vou aguentar a culpa?"

Ela dá de ombros. "Essa é a pergunta, David?", pergunta, baixo.

"Não sei. Não sei mais qual é a pergunta. Parece que caiu uma cortina entre a geração de Lucy e a minha. E eu nem notei quando caiu."

Faz-se um longo silêncio entre eles.

"Não posso mais ficar com Lucy", diz, "então vou procurar um quarto. Se souber de alguma coisa em Grahamstown, me avise. O que eu vim dizer é que estou disponível para ajudar na clínica."

"Vai ser ótimo", diz Bev Shaw.

De um amigo de Bill Shaw, ele compra uma pick-up, que paga com um cheque de mil rands e outro de sete mil rands pré-datado para o final do mês.

"Para que você vai usar?", pergunta o homem.

"Para animais. Cachorros."

"Vai precisar de grade atrás, para eles não pularem para fora. Conheço alguém que pode colocar a grade para você."

"Meus cachorros não pulam."

Segundo os documentos, a pick-up tem doze anos, mas o motor soa bem. De qualquer forma, ele diz a si mesmo, não vai ter de durar para sempre. Nada dura para sempre.

Encontra um anúncio no *Grocott's Mail* e aluga um quarto em uma casa perto do hospital. Dá o nome de Lourie, paga um mês de aluguel adiantado, diz à proprietária que está em Grahamstown para tratamento. Não diz tratamento de quê, mas sabe que ela pensa que é de câncer.

Está gastando dinheiro como água. Não importa.

Numa loja de camping, compra um aquecedor de imersão, um fogãozinho a gás, uma panela de alumínio. Ao levá-los para o quarto, encontra a proprietária na escada. "Não é permitido cozinhar nos quartos, senhor Lourie", ela diz. "Perigo de incêndio, o senhor sabe."

O quarto é escuro, abafado, sobrecarregado de mobília, o colchão empelotado. Mas vai se acostumar, como se acostumou com outras coisas.

Há um outro pensionista, um professor aposentado. Eles se cumprimentam no café da manhã, mas não conversam. Depois do café, vai para a clínica e passa o dia lá, todos os dias, inclusive domingos.

A clínica, mais que a pensão, passa a ser sua casa. Nos fundos, arma uma espécie de ninho, com uma mesa e uma velha cadeira de braços dos Shaw e um velho guarda-sol para se proteger do calor mais forte. Traz o fogão para fazer chá e esquentar comida enlatada: espaguete e almôndegas, *snoek*, peixe seco e cebola. Duas vezes por dia, dá comida aos animais; limpa os compartimentos e às vezes conversa com eles; no mais, lê, ou cochila ou, quando está sozinho, procura no banjo de Lucy a música que vai dar a Teresa Guiccioli.

Até a criança nascer, será essa a sua vida.

Certa manhã, levanta o rosto e topa com os rostos de três menininhos olhando para ele por cima do muro de concreto. Levanta-se de seu lugar; os cachorros começam a latir; os meninos descem e saem correndo, gritando de excitação. Que história para contar em casa: um velho maluco que senta no meio dos cachorros cantando sozinho!

Maluco mesmo. Como explicar a eles, aos pais deles, à Aldeia D, o que Teresa e seu amante fizeram para merecer serem trazidos de volta a este mundo?

24.

De camisola branca, Teresa está diante da janela do quarto. De olhos fechados. É a hora mais escura do noite: ela respira fundo, aspirando o farfalhar do vento, o coaxar dos sapos.

"*Che vuol dir*", ela canta, a voz pouco mais que um sussurro, "*Che vuol dir questa solitudine immensa? Ed io*", canta, "*che sono?*"

Silêncio. A *solitudine immensa* não responde nada. Até mesmo o trio no canto fica em silêncio, como ratinhos.

"Venha!", ela sussurra. "Venha a mim, eu imploro, meu Byron!" Abre os braços, abraçando a escuridão, abraçando o que a escuridão trouxer.

Quer que ele venha no vento, que se enrole em torno dela, que afunde o rosto entre seus seios. Ou então que chegue com o amanhecer, que apareça no horizonte como um deus-sol lançando um refulgir de calor sobre ela. Seja como for, ela o quer de volta.

Sentado à mesa no quintal dos cachorros, ele escuta a curva triste, descendente, da súplica de Teresa enfrentando a escuridão. É um mau momento do mês para Teresa, ela está dolorida, não dormiu nem um minuto, está exausta de desejo. Quer ser resgatada da dor, do calor do verão, da Villa Gamba, do mau humor do pai, de tudo.

Da cadeira onde está, pega o bandolim. Com ele aninhado nos braços como uma criança, volta à janela. *Plinc-planc* faz o bandolim em seus braços, suave, para não despertar o pai. *Plinc- -planc* geme o banjo no desolado quintal da África.

Uma brincadeira para me ocupar, ele dissera a Rosalind. Mentira. A ópera não é um hobby, não mais. Ela o consome dia e noite.

No entanto, a não ser por alguns bons momentos, a verdade é que *Byron na Itália* não está dando em nada. Não há ação, nem desenvolvimento, apenas uma longa e entrecortada cantilena que Teresa uiva para o ar, pontuada aqui e ali pelos gemidos e suspiros de Byron fora de cena. O marido e a amante rival foram esquecidos, podiam até nem existir. Seu impulso lírico pode não ter morrido, mas depois de décadas de inanição só consegue rastejar para fora da caverna torto, curvo, deformado. Ele não tem recursos musicais, não tem recursos de energia, para levar *Byron na Itália* além da monótona trilha em que vem correndo desde o começo. Tornou-se o tipo de trabalho que um sonâmbulo escreveria.

Ele suspira. Seria ótimo voltar à sociedade triunfante como o autor de uma excêntrica pequena ópera de câmara. Sua esperança deve ser mais moderada: de que de algum lugar, em meio àquela massa de som, brote, como um pássaro, uma única nota autêntica de desejo imortal. Quanto ao reconhecimento, isso ele deixará para os acadêmicos do futuro, se é que ainda haverá acadêmicos no futuro. Porque ele não ouvirá essa nota, quando surgir, se surgir, ele sabe demais sobre arte e sobre os caminhos da arte para esperar uma coisa dessas. Se bem que seria ótimo se Lucy recebesse essa prova ainda durante a sua vida, para ter uma ideia um pouco melhor dele.

Pobre Teresa! Pobre sofredora! Ele a trouxe de volta do túmulo, prometeu-lhe uma outra vida, e agora está falhando com ela. Espera que ela tenha no coração a capacidade de perdoá-lo.

Começou a sentir um carinho particular por um dos cachorros do canil. É um jovem macho que tem um quarto traseiro murcho que arrasta pelo chão. Ele não sabe se nasceu assim. Nenhum visitante mostrou interesse em adotá-lo. Seu período de graça está quase no fim; logo, terá de ser submetido à agulha.

Às vezes, quando está lendo ou escrevendo, solta-o do compartimento e deixa que passeie, com seu jeito grotesco, pelo quintal, ou que cochile aos seus pés. Não é "dele", de jeito nenhum; teve o cuidado de não lhe dar um nome (embora Bev Shaw refira-se a ele como *Driepoot*, três patas); mesmo assim, ele é sensível à generosa afeição que o cachorro lhe dedica. De forma arbitrária, incondicional, foi adotado; o cachorro é capaz de morrer por sua causa, ele sabe disso.

O animal fica fascinado com o som do banjo. Quando dedilha as cordas, o cachorro se senta, inclina a cabeça, escuta. Quando cantarola um verso de Teresa, e o cantarolar começa a se encher de sentimento (é como se a sua laringe engrossasse: dá para sentir o sangue pulsando na garganta), o cachorro estala os beiços e parece a ponto de cantar também, ou de uivar.

Será que teria coragem de fazer uma coisa dessas: colocar um cachorro na peça, permitir que o animal solte o seu lamento aos céus entre as estrofes do sofrimento amoroso de Teresa? Por que não? Sem dúvida tudo é permitido num trabalho que nunca será representado.

Na manhãs de sábado, conforme o combinado, vai à Donkin Square ajudar Lucy na banca do mercado. Depois, sai com ela para almoçar.

Lucy está ficando com os movimentos mais lentos. Está ficando com um ar plácido, absorto em si mesma. Não está visivelmente grávida ainda; mas se ele percebe os indícios, quanto tempo falta para que as filhas de Grahamstown percebam também?

"Como vai Petrus?", pergunta.

"A casa ficou pronta, só falta o teto e o encanamento. Está para se mudar."

"E o filho dele? Não está na hora de nascer?"

"Semana que vem. Tudo muito bem planejado."

"Ele insinuou mais alguma coisa?"

"Insinuar o quê?"

"Sobre você. Sobre o seu papel no plano."

"Não."

"Talvez as coisas mudem quando a criança", ele faz um minúsculo gesto na direção da filha, da barriga da filha, "nascer. Afinal, será um filho desta terra. Não vão poder negar uma coisa dessas."

Faz-se um longo silêncio entre eles.

"Você já ama o bebê?"

Embora sejam palavras suas, saídas de sua boca, ele se surpreende.

"O bebê? Não. Como poderia? Mas vou amar. O amor cresce, basta confiar na Mãe Natureza. Estou decidida a ser uma boa mãe, David. Uma boa mãe e uma boa pessoa. Você devia tentar ser uma boa pessoa também."

"Acho que já é tarde demais para mim. Eu sou apenas um velho prisioneiro cumprindo sua pena. Mas você pode ir em frente. Está indo muito bem."

Uma boa pessoa. Bela resolução a ser tomada, em tempos sombrios.

Por um acordo tácito, por enquanto ele não vai à fazenda da filha. Mesmo assim, uma vez por semana dá uma volta de pick-up pela estrada de Kenton, deixa o veículo numa entrada e continua a pé o resto do caminho, não seguindo a trilha, mas andando pela savana.

Do alto do último morro, a fazenda se descortina diante dele: a velha casa, sólida como sempre, os estábulos, a casa nova de Petrus, a represa velha, na qual percebe manchas que devem ser os patos e manchas maiores que devem ser gansos selvagens, os visitantes de Lucy que vêm de longe.

À distância, os canteiros de flores são blocos sólidos de cor: magenta, vermelho, azul-pálido. A estação do desabrochar. As abelhas devem estar no sétimo céu.

Nem sinal de Petrus, nem de sua mulher, nem do menino chacal que vive com eles. Mas Lucy está trabalhando entre as flores; e enquanto ele desce pela encosta enxerga também a buldogue, uma mancha fulva no caminho ao lado dela.

Chega até a cerca e para. Lucy está de costas e ainda não o viu. Está usando um vestido claro de verão, botas e um grande chapéu de palha. Quando ela se inclina, podando, cortando, amarrando, ele vê a pele leitosa, de veias azuis e grandes tendões vulneráveis na parte de trás dos joelhos: a parte menos bonita do corpo de uma mulher, a menos expressiva, e por isso mesmo a mais enternecedora.

Lucy endireita o corpo, estica as costas, torna a se curvar. Trabalho braçal; trabalho de camponês, imemorial. Sua filha se transformando em camponesa.

Ela ainda não se deu conta da presença dele. A cachorra parece estar cochilando.

Então: um dia ela foi apenas um girinozinho dentro do

corpo da mãe, e agora ali está, sólida em sua existência, mais sólida que ele jamais foi. Se tiver sorte, vai durar muito tempo, muito mais que ele. Quando ele morrer, ela ainda estará ali, se tiver sorte, cumprindo suas tarefas simples entre os canteiros. E dentro dela está a origem de uma outra existência, que se tiver sorte será tão sólida e tão duradoura quanto ela. E assim seguirá, a linha de existências em que a sua parcela, a sua contribuição, irá inexoravelmente diminuindo, até chegar a ser esquecida.

Um avô. Um Joseph. Quem poderia imaginar! Que moça bonita pode pensar atrair para a cama de um vovô?

Baixinho, fala o nome dela: "Lucy!".

Ela não escuta.

Como será, ser avô? Como pai não foi muito bem-sucedido, apesar de ter tentado com mais afinco que a maioria. Como avô provavelmente ficará abaixo da média também. Faltam-lhe as virtudes dos velhos: serenidade, gentileza, paciência. Mas talvez essas virtudes venham quando outras virtudes se vão: a virtude da paixão, por exemplo. Tem de dar uma olhada em Victor Hugo de novo, o poeta-avô. Talvez possa aprender alguma coisa.

O vento cessa. Há um momento de total calmaria que ele gostaria de ver prolongado para sempre: o sol suave, a quietude do meio da tarde, as abelhas ocupadas nos canteiros; e, no centro do quadro, uma jovem, *das ewig Weibliche*, levemente grávida, com um chapéu de palha. Uma cena realmente própria para Sargent ou Bonnard. Homens da cidade, como ele; mas mesmo homens da cidade são capazes de reconhecer a beleza quando topam com ela, são capazes de perder o fôlego.

A verdade é que nunca teve muito olho para a vida rural, apesar de tanto ler Wordsworth. Nunca teve muito olho para nada, a não ser para belas garotas; e no que é que deu isso? Será tarde demais para educar o olhar?

Ele pigarreia. "Lucy", diz, mais alto.

O encanto se quebra. Lucy endireita o corpo, se vira ligeiramente, sorri. "Oi", diz. "Não ouvi você chegar."

Katy levanta a cabeça e olha, míope, na sua direção.

Ele passa pela cerca. Katy vem até ele, fareja seus sapatos.

"Cadê o carro?", Lucy pergunta. Está afogueada do trabalho, talvez um pouco queimada de sol. De repente, parece a imagem da saúde.

"Parei longe e dei um passeio."

"Quer entrar e tomar um chá?"

Ela convida como se ele fosse um visitante. Bom. Visita, visitação: uma nova base, um novo começo.

Chega o domingo de novo. Ele e Bev Shaw estão concentrados em sua sessão de *Lösung*. Um a um ele vai trazendo os gatos, depois os cachorros: os velhos, os cegos, os mancos, os aleijados, os mutilados, mas também os jovens, os sãos, todos os que chegaram ao fim de seu período. Um a um, Bev toca, conversa, consola e sacrifica. Depois se afasta e fica olhando enquanto ele encerra os restos numa mortalha de plástico preto.

Ele e Bev não falam. Ele já aprendeu, com ela, a concentrar toda atenção no animal que estão matando, dando-lhe o que não tem mais nenhuma dificuldade de chamar pelo nome correto: amor.

Amarra o último saco e leva até a porta. Vinte e três. Sobrou só um jovem cachorro, aquele que gosta de música, aquele que, com meia chance, já teria enveredado atrás dos companheiros para dentro do prédio da clínica, para dentro da sala de operações com sua mesa de tampo metálico, onde ainda paira a mistura de cheiros intensos, inclusive um que ainda não sentiu na sua vida: o cheiro da expiração, o cheiro macio e breve da alma libertada.

O que o cachorro não entenderá nunca (*nem num mês*

inteiro de domingos!, ele pensa), o que seu focinho nunca lhe dirá, é que se pode entrar em uma sala absolutamente comum e nunca mais sair. Algo acontece naquela sala, algo não mencionável: ali a alma é arrancada do corpo; paira brevemente no ar, se torcendo e contorcendo; depois é sugada para longe e desaparece. Será incompreensível para ele, essa sala que não é uma sala, mas um buraco por onde se escorre para fora da existência.

Vai ficando cada vez mais difícil, Bev Shaw lhe disse uma vez. Mais difícil, mas mais fácil também. A gente se acostuma com as coisas ficando mais difíceis; a gente acaba não se assustando mais quando o que era o mais difícil do difícil fica ainda mais difícil. Ele pode salvar o jovem cachorro, se quiser, deixar para a semana seguinte. Mas chegará a hora, isso não pode ser evitado, em que terá de trazê-lo para Bev Shaw na sala de operações (talvez o traga nos braços, talvez faça isso por ele) e o acariciará, abrindo a pelagem negra para que a agulha penetre na veia, sussurrando para ele, dando-lhe apoio no momento em que, surpreendidas, suas pernas cederão; e então, quando sua alma sair, ele o dobrará e embalará em seu saco, e no dia seguinte o levará para as chamas e cuidará para que seja queimado, eliminado. Fará tudo isso por ele quando chegar sua hora. Será pouco, menos que pouco: nada.

Ele atravessa a sala. "Foi o último?", Bev Shaw pergunta.

"Tem mais um."

Abre a porta do compartimento. "Venha", diz, curva-se, abre os braços. O cachorro arrasta a parte traseira aleijada, fareja seu rosto, lambe sua face, seus lábios, sua orelha. Não o detém. "Venha."

Levando-o no colo como um carneiro, entra na sala de operações. "Achei que ia deixar esse para a semana que vem", diz Bev Shaw. "Vai desistir dele?"

"É. Vou desistir."

1ª EDIÇÃO [2000] 1 reimpressão
2ª EDIÇÃO [2003] 4 reimpressões
3ª EDIÇÃO [2009]
4ª EDIÇÃO [2010] 15 reimpressões

ESTA OBRA FOI COMPOSTA EM ELECTRA PELO ACQUA ESTÚDIO E IMPRESSA
PELA GEOGRÁFICA EM OFSETE SOBRE PAPEL PÓLEN DA SUZANO S.A.
PARA A EDITORA SCHWARCZ EM AGOSTO DE 2025

A marca FSC® é a garantia de que a madeira utilizada na fabricação do papel deste livro provém de florestas que foram gerenciadas de maneira ambientalmente correta, socialmente justa e economicamente viável, além de outras fontes de origem controlada.